CURSO DE ESPAÑOL PARA EXTRANJEROS

nuevo ele intermedio

CUADERNO DE EJERCICIOS

Proyecto didáctico
Equipo de idiomas de Ediciones SM

Autores
Virgilio Borobio
Ramón Palencia

Diseño de interiores
Esteban García

Maqueta
José Antonio Prieto

Fotografías
A. Noe / INDEX; A. R. Szalay, Mark Downey / PHOTODISC; AGE FOTOSTOCK; Antonio Brandi; Bruce W. Heinemann; CORDON PRESS; DIGITALVISION; EFE; FIRO FOTO; FOTOTECA 9 x 12; Javier Calbet; Sonsoles Prada; J. M. Navia; Mari Ángeles Sánchez; Oficina de Turismo de Puerto Rico; ORONOZ; PHOTOLINK; SUPERSTOCK; Yolanda Álvarez; Skip Nall; MARCO POLO; COVER; PRISMA; Archivo SM

Ilustración
Rubén Garrido

Coordinación técnica
Ana García Herranz

Coordinación editorial
Aurora Centellas
Susana Gómez

Dirección editorial
Michelle Crick

Comercializa

Para el extranjero:
Ediciones SM - Joaquín Turina, 39 - 28044 Madrid (España)
Teléfono 91- 422 88 75 - Fax 91 508 33 66

Para España:
CESMA, SA – Aguacate, 43– 28044 Madrid (España)
Teléfono 91-208 02 00 - Fax 91 508 72 12

ISBN: 84-348-8768-1
Depósito legal: M. 25.161-2002
Impreso por: Impresos y Revistas, S. A. - c/Herreros, 42 - Pol. Ind. Los Ángeles - Getafe (Madrid)
Impreso en España - *Printed in Spain*

ÍNDICE

lección 1

1 a) Lee estas palabras y anota cada una de ellas en la columna que consideres apropiada.

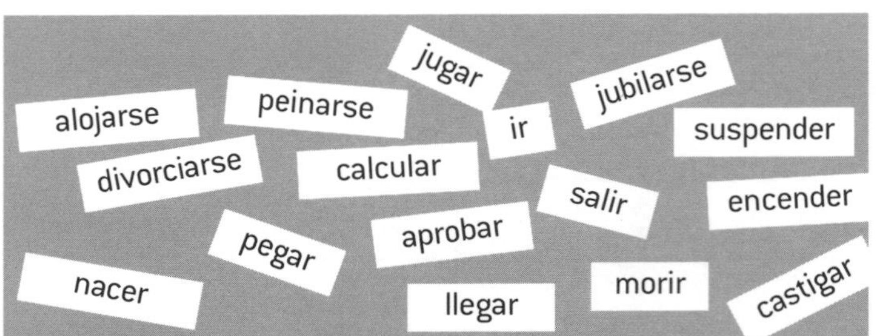

Viajes	Biografías	Infancia	Utilidad de objetos
alojarse			

b) Escribe el sustantivo correspondiente a cada uno de los verbos del apartado a).

1. alojarse →	alojamiento	9. .... →	
2.		10.	
3.		11.	
4.		12.	
5.		13.	
6.		14.	
7.		15.	
8.		16	

Repaso de formas verbales

2 a) Completa el cuadro con las formas verbales que faltan.

Pretérito indefinido	Pretérito imperfecto
oyeron	oían
bebimos	....
....	querías
vi	....
....	servía (ella)
creyeron	....
....	estábamos
hablaste	....
....	morían
salisteis	....
....	veníamos
fui	....
....	dabas
trajo	....

b) ¿Hay algún otro verbo que te resulte difícil en alguno de esos tiempos del pasado? Escribe su conjugación.

....

....

....

c) Comprueba si has conjugado bien los verbos con el resumen gramatical del libro del alumno.

3 **a) Ordena estas palabras para formar preguntas completas. Pon las mayúsculas y los acentos necesarios.**

1. tu cuando a conoces profesor/a desde
   ¿...?

2. estudiando cuanto centro este tiempo en llevas
   ¿...?

3. cuando español desde hablas
   ¿...?

4. difícil más es del que español lo
   ¿...?

5. semana español de clases por tienes cuantas
   ¿...?

6. fuera para que aprender español haces de clase
   ¿...?

b) Ahora responde por escrito a las preguntas del apartado a).

1. ....
2. ....
3. ....
4. ....
5. ....
6. ....

4 **Mercedes y Santiago son dos bolivianos que pasaron sus últimas vacaciones en Montevideo. Todos los días hacían una serie de cosas, pero un día no se encontraban muy bien e hicieron otras. Coloca cada expresión en el recuadro que creas conveniente.**

• ir a la playa	• salir por la noche	• leer bastante
• ir al médico	• preferir quedarse en el hotel	• dormir mucho
• visitar lugares de interés	• hacer deporte	• tomar el sol
• comer poco	• acostarse pronto	

Aquel día...
fueron al m...

5 **Busca nueve errores en este texto, subráyalos y numéralos. Luego, escribe la forma correcta en la lista que hay debajo.**

Empecé a estudiar español cuando tuve[1] quince años. Para mí fue una experiencia muy interesante y tengo un acuerdo muy bueno. Aquel año aprendí muchísimo y todos los días disfrutaba mucho en clase, porque me gustaba mucho la lengua, la profesora y que hacíamos. Lo que más me gustaba era que hablábamos mucho en clase: entendía a mis compañeros y ellos me entendieron a mí, pero la pronunciación no me daba muy bien. Había algunas cosas un poco difíciles, como los verbos, pero, en general, el español no era tan complicado que decían algunos compañeros de clase.
En el viaje de fin de curso íbamos a España. Fue mi primera estancia en ese país y lo pasé muy bien. Muchas veces no comprendía todo lo que dijeron los españoles, pero me comunicaba con ellos. Recuerdo que cuando hablaba, me cansé mucho, pero después me sentía muy satisfecha porque podía expresarme en español.

1. *cuando tenía quince años*
2. ______
3. ______
4. ______
5. ______
6. ______
7. ______
8. ______
9. ______

6 **Piensa en tu primer curso de español y escribe lo que recuerdas de él. Puedes comentar, entre otras cosas:**

- ¿Te gustaba la clase?
- ¿Te parecía difícil el español?
- ¿Qué era lo que se te daba mejor?
- ¿Qué era lo más difícil?
- ¿Tienes algún recuerdo especial?

....
....
....
....
....
....
....

7 **A todas estas frases les falta una palabra. Complétalas.**

1. La primera gramática castellana se publicó hace más 500 años.
2. Muchos los idiomas y dialectos de la América precolombina han desaparecido.
3. En Latinoamérica hay diez millones de personas hablan idiomas o dialectos precolombinos.
4. La palabra *chocolate* es origen americano.
5. El español tiene más verbos irregulares mi lengua.
6. Todos verbos del esperanto, una lengua artificial creada en 1887, son regulares.
7. Todas las lenguas mundo tienen la letra *a*.

8 a) Lee este texto y fíjate en el contexto para averiguar qué palabras significan lo mismo que:

rico ...... aspecto ...... aunque ...... diferente ...... empezar a conversar ......

Si en una ciudad extranjera un español acaudalado oye, en la calle, en un lugar público, a otra persona, de traza modesta, hablar su lengua, aun cuando sea con acento distinto, chileno, o cubano, lo más probable es que sienta el deseo de acercarse a él y trabar conversación. Son dos personas de clase social muy dispar, de dos naciones distintas; pero los une algo superior al sentir de clase y nación, y es su conciencia de pertenecer a un mismo grupo lingüístico, la fraternidad misteriosa que crea el hecho de llamar desde niños las mismas cosas con los mismos nombres.

PEDRO SALINAS: *Defensa del lenguaje*

b) ¿Qué título le pondrías al texto? Escríbelo.

....

c) Lo que acabas de leer fue publicado en el año 1948. ¿Crees que actualmente un español o una española reaccionaría así en una situación de ese tipo? Argumenta tu respuesta.

....

....

d) Y tú, ¿te has encontrado recientemente en tu país a algún español o latinoamericano (hablando español)? Escribe cómo te sentiste y cómo reaccionaste.

....

....

....

Pronunciación

9 a) ¿Recuerdas qué palabras del curso anterior te resultaban más difíciles de pronunciar? Anótalas y practica su pronunciación.

....

....

b) Díselas al profesor para que te ayude a resolver las dificultades si es necesario.

10 AUTOEVALUACIÓN

1. Piensa en cinco estructuras que has estudiado en esta lección y escribe una frase con cada una de ellas.

....

....

....

....

....

2. ¿Te ha parecido especialmente útil alguna actividad de esta lección? Explica por qué.

....

....

3. ¿En qué cosas crees que debes mejorar? ¿Qué piensas hacer para conseguirlo?

....

....

EL MAÍZ

11 a) Responde a estas preguntas:

- ¿Te gusta el maíz o algún producto elaborado con él?
- ¿Sueles tomarlo habitualmente?
- ¿En qué parte del mundo crees que se comenzó a cultivar el maíz?

b) Lee este texto y comprueba la respuesta a la última pregunta.

EL MAÍZ:

PRODUCTO Y PALABRA DE ORIGEN AMERICANO

El maíz es el único cereal procedente del Nuevo Mundo. En México ya existía hace 7 000 años, pero su planta era más pequeña que la que conocemos hoy: una mazorca podía medir 3 ó 4 cm de largo por 1 cm de diámetro, y tenía solamente 8 ó 10 granos. Más tarde, los pueblos precolombinos mejoraron muchas de las variedades de ese cereal y, cuando llegó Colón, se cultivaban entre 200 y 300 variedades desde Chile hasta Canadá oriental. Fue el alimento básico de las culturas prehispánicas y la base de la economía de pueblos como los mayas, los aztecas y los incas. En algunas civilizaciones llegó a tener un carácter sagrado.

Su introducción en España fue más lenta que la de otros productos americanos. El gobernador de la Florida lo introdujo en Asturias en el año 1604, y su cultivo se extendió por Europa durante el siglo XVIII. En el norte de España contribuyó de manera decisiva a la recuperación económica y demográfica de la zona.

En la actualidad hay unas 400 variedades y es el tercer cereal más cultivado en el mundo (el trigo es el primero, y el arroz, el segundo). En Latinoamérica sigue siendo un alimento básico, principalmente en las comunidades indígenas que viven de la agricultura. También juega un papel fundamental en la economía, puesto que existen millones de productores y trabajadores que dependen de él.

Como alimento, se toma de muchas formas; en Latinoamérica la más popular es la tortilla. Sin embargo, también se emplea para elaborar productos como papel, pegamentos, plásticos, pinturas, cosméticos, etc.

c) Lee de nuevo el texto y anota los números de las líneas en que...

- [ ] Se hace referencia al comienzo del cultivo del maíz en España.
- [ ] Se expresa la importancia que tuvo el maíz en diferentes culturas precolombinas.
- [ ] Se explica para qué se cultiva actualmente el maíz.
- [ ] Se describen las primeras mazorcas de maíz.
- [ ] Se mencionan los cereales más producidos hoy en día.

d) ¿Has deducido el significado de *mazorca*, *grano* y *tortilla*?

....

....

....

12 a) Piensa en alimentos y platos que contienen maíz. Si no sabes cómo se dicen en español, averígualo.

tortillas | .... | .... | .... | .... | ....

b) Escribe frases con alguno de los que tomes más a menudo.

- *Siempre que voy a un restaurante mexicano, tomo tortillas.*
- ....
- ....
- ....
- ....
- ....
- ....
- ....
- ....
- ....

lección **2**

Vocabulario: la columna

 Escribe cada respuesta en la línea correspondiente. Luego escribe una frase con el verbo que salga en la columna.

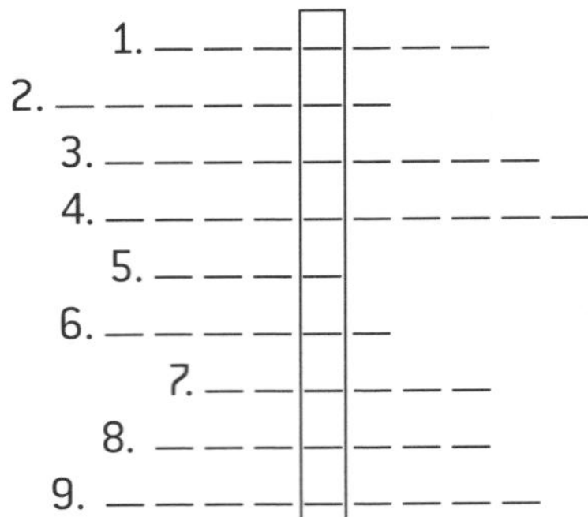

1. Que dice lo que piensa de verdad (femenino).
2. "La primera vez que vi a tus padres me causaron una impresión muy buena, me .... muy bien."
3. Lo contrario de "pesimista".
4. Lo contrario de "simpático".
5. "Si vas al cine y hay gente esperando para comprar la entrada, tienes que hacer ...."
6. Lo contrario de "triste".
7. El sustantivo es "actividad"; el adjetivo, "...........".
8. "Carmen y yo nos .... amigas cuando estábamos en el colegio."
9. Que acepta las opiniones de las otras personas.

Frase: ....

 a) ¿Qué cosas (no) hace un buen amigo? Ordena las palabras de estas frases y escríbelo.

1 necesitan cuando ayuda a lo amigos sus
Ayuda a sus amigos cuando lo necesitan.

2 amigos habla sus nunca de mal
....

3 sus mucho en confía amigos
....

4 a momentos amigos acompaña los sus malos en
....

5 cosas con amigos comparte sus muchas
....

6 sus como acepta son amigos a
....

b) ¿Puedes añadir otras cosas que (no) hace un buen amigo?

....

Un chiste

3 a) Lee este chiste incompleto.

b) Complétalo con estas palabras.

c) ¿Te ha gustado?

....

4 a) ¿Has conocido tú a algún/a amigo/a de alguna de estas formas? Señálalo.

1. A través de amigos .... ☐
2. Por los estudios .... ☐
3. En el trabajo .... ☐
4. En fiestas .... ☐
5. Realizando otras actividades de tiempo libre .... ☐
6. Por anuncios en la prensa .... ☐
7. Por tener intereses/aficiones comunes .... ☐
8. Por Internet .... ☐

b) Lee estos textos en los que varias personas cuentan cómo conocieron a sus mejores amigos. Relaciona cada texto con una de las frases del apartado a). (Anota el número correspondiente en cada caso.)

"Mi mejor amiga es Mirta y le gusta mucho el cine, como a mí. Precisamente nos conocimos en una conferencia sobre cine latinoamericano, hace muchos años. Recuerdo que ella le hizo una pregunta muy interesante al conferenciante, y cuando terminó el acto hablé con ella y nos fuimos a tomar un café. Estuvimos charlando mucho rato y, como nos caímos tan bien, nos intercambiamos los números de teléfono para llamarnos e ir a ver alguna película."

A

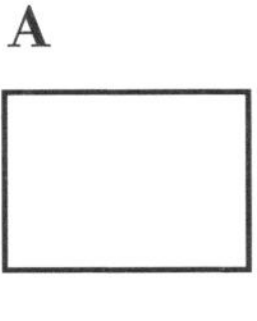

B

"¿Que dónde conocí a mi mejor amigo? Pues en el colegio, hace muchos años..., exactamente cuando teníamos nueve años los dos y estábamos en Primaria. Al empezar el curso nos pusieron juntos, nos caímos muy bien desde el principio y ahí comenzó nuestra amistad."

"Yo antes leía por curiosidad los anuncios de una revista de viajes que compraba todas las semanas. Una vez vi uno que me gustó: era de un grupo de personas que organizaban sus propios viajes de vacaciones y fines de semana, y querían conocer gente nueva. Me puse en contacto con ellos, me parecieron majísimos y empecé a viajar con ellos. Dos de esas personas son ahora algunos de mis mejores amigos."

C

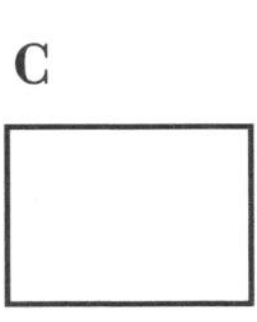

5 **Este es el momento en el que Abel conoció a Susana en la plaza de Aguaviva, su pueblo. Mira el dibujo y escribe lo que estaban haciendo en ese momento las distintas personas que estaban allí.**

1. *Lucas estaba bebiendo agua de la fuente.*
2. ....
3. ....
4. ....
5. ....
6. ....
7. ....
8. ....

6 **Subraya la opción correcta.**

Pues yo conocí a mi novia en Santiago de Chile, en unas vacaciones. Un día fui a visitar el Palacio de la Moneda y cuando **estuve/estaba** observando la fachada, dos chicas me **preguntaron/preguntaban** si podía hacerles una foto. Se la **hice/hacía** y luego les **pedí/pedía** una foto con ellas (nos la **hizo/hacía** una persona que en ese momento pasaba por allí). Descubrimos que los tres **fuimos/éramos** de Zaragoza y, como **tuvimos/teníamos** hambre, fuimos a comer juntos. Las dos me **cayeron/caían** estupendamente, pero vi que una de ellas, Lucía, **tuvo/tenía** muchas cosas en común conmigo y noté que **hubo/había** algo entre los dos, que los dos **sentimos/sentíamos** algo. Cuando nos despedimos, nos **intercambiamos/intercambiábamos** los teléfonos de los hoteles en los que estábamos. Al día siguiente me **desperté/despertaba** pensando en ella. Como **tuve/tenía** muchas ganas de verla, la **llamé/llamaba** después del desayuno. Nos **vimos/veíamos** aquella misma mañana y continuamos las vacaciones juntos. ¡Ah! Santiago es una ciudad preciosa, me **encantó/encantaba**.

7 **a) Conecta estas frases con *como* o *porque*. Fíjate bien en cuál de ellas se expresa la causa.**

1 Querían salir las dos en la foto. Me preguntaron si se la podía hacer.
Como querían salir las dos en la foto, me preguntaron si se la podía hacer.

2 Fui solo al Palacio de la Moneda. Mi amigo fue a ver a unos familiares.
....

3 Estábamos en Chile. Tomamos comida chilena.
....

4 Por la noche no estuve con las chicas. Tenía una cita con mi amigo.
....

5 No tenía mucha hambre. Desayuné poco.
....

6 Queríamos estar juntos. Quedamos esa misma mañana.
....

7 Lucía y su amiga regresaron a Zaragoza la semana siguiente. Tenían que trabajar.
....

8 Estaba enamorado. Volví muy contento a casa… ¡y al trabajo!
....

b) Ahora pronuncia esas frases. Presta especial atención a la entonación.

8 **Piensa en cómo conociste a alguien, preferiblemente de forma curiosa, sorprendente o divertida. Toma nota de los detalles y luego redacta un texto.**

- ....
- ....
- ....
- ....
- ....

9 Autoevaluación

1. Piensa en palabras o estructuras que hayas aprendido en esta lección y escribe frases con ellas.
....
....
....
....
....

2. ¿Te ha parecido especialmente útil alguna actividad de esta lección? Explica por qué.
....
....

3. ¿En qué cosas crees que debes mejorar? ¿Qué piensas hacer para conseguirlo?
....
....

LA CULTURA ZÁPARA

10 a) Escribe algunos hechos que pueden poner en peligro la existencia de un pueblo indígena. Puedes usar el diccionario.

- ....
- ....
- ....

b) Lee este texto y comprueba si se menciona alguno de los hechos que has escrito. Puedes usar el diccionario.

UN PUEBLO INDÍGENA EN PELIGRO DE DESAPARICIÓN

En la provincia amazónica de Pastaza, a 240 km al sur de Quito, la capital de Ecuador, viven unos 170 záparas. Son los indígenas que quedan de un pueblo que a principios del siglo XX tenía unos 200 000 habitantes instalados en las riberas de los ríos Curaray, Conambo, Tigre y Villano, todos ellos afluentes del Amazonas. Y fue precisamente por esos ríos por donde llegaron los males que aceleraron la decadencia de esa comunidad indígena: los colonizadores, las enfermedades importadas por los europeos y que los indios desconocían y no sabían curar, la explotación del caucho y del petróleo, la esclavitud, las guerras con otras tribus, etc. Además, en 1941, al final de la guerra entre Ecuador y el Perú, ambos países establecieron una nueva frontera que dividió a la comunidad zápara en dos partes, quedando una en cada lado de la frontera.

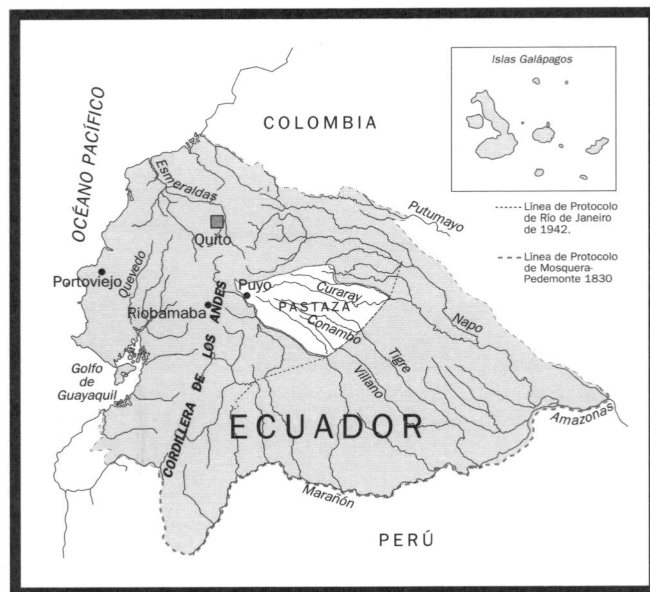

En 1998 se fundó la Asociación de la Nacionalidad Zápara de la provincia de Pastaza (ANAZPA) con el fin de conservar y proteger la cultura zápara y su forma de vida tradicional, estrechamente relacionada con la selva, de la que obtienen los recursos necesarios para vivir. La delimitación definitiva de su territorio, el reencuentro con sus parientes del otro lado de la frontera con el Perú y la recuperación de su lengua son algunos de sus objetivos principales. En la actualidad solo unos pocos ancianos hablan el zápara, y los conocimientos sobre tradiciones, el poder curativo de las plantas y los secretos de la selva son transmitidos oralmente en ese idioma. Por ello, su conservación es algo más que una cuestión cultural: es una condición para la supervivencia de este pueblo indígena ecuatoriano.

Fuente: CARLOS ANDRADE: *El último chamán*

c) Expresa con tus propias palabras por qué se mencionan en el texto las siguientes cifras:

240
....
....
....
....
....

1941
....
....
....
....
....

200 000
....
....
....
....
....

170
....
....
....
....
....

1998
....
....
....
....
....

lección 3

1 Escribe cada palabra debajo de la fotografía correspondiente.

1. ....

2. ....

3. ....

4. ....

5. ....

6. ....

7. ....

8. ....

9. ....

10. ....

2 Escribe un ejemplo de cada una de las palabras de la actividad anterior. Utiliza el artículo en los casos necesarios.

a) París
b) el Volga
c) ....
d) ....
e) ....
f) ....
g) ....
h) ....
i) ....
j) ....

3 Completa el crucigrama con los adjetivos del recuadro.

aislado	cálido	frío	húmedo	peligroso
ruidoso	seco	solitario	tranquilo	precioso

Vertical

1. Que tiene peligro.
2. Con temperaturas muy bajas.
3. Con mucha lluvia.
5. Muy bonito.
7. Sin agua.
8. Con temperaturas agradables.

Horizontal

4. Sin ruido.
6. Con ruido.
9. Alejado de otros lugares.
10. Sin gente.

4 Fíjate en el modelo y escribe frases sobre récords geográficos con estos elementos.

1. Mont Blanc/montaña/2.ª/alto/ Europa.
   El Mont Blanc es la segunda montaña más alta de Europa.
2. Brasil/país/1.º/poblado/Latinoamérica.
   ....
3. Sahara/desierto/1.º/grande/mundo.
   ....
4. Titicaca/lago navegable/1.º/alto/mundo.
   ....
5. Atacama/desierto/1.º/seco/mundo.
   ....
6. Español/idioma/3.º/hablado/mundo
   ....
7. El Salvador/país/1.º/pequeño/Latinoamérica.
   ....

5 Escribe frases sobre récords de tu país.

- (río/largo) ....
- (montaña/alta) ....
- (ciudad/poblada) ....
- (ciudad/rica) ....
- (ruinas/antiguas) ....
- ....
- ....

6 Completa los espacios en blanco escribiendo los verbos entre paréntesis en el tiempo adecuado.

- ¿........................ (estar) alguna vez en América del Sur?
- ○ Sí, ... (estar) hace muchos años en Perú y Bolivia. .... (ir) un verano con unos amigos.
- ¿Qué zonas .... (visitar)?
- ○ .... (empezar) el viaje en Lima. .... (viajar) por los Andes hasta Cuzco y luego .... (seguir) hasta La Paz.
- ¿Cuánto tiempo .... (estar)?
- ○ Unas cuatro semanas. .... (estar) tres semanas en Perú y una en Bolivia.
- ¿........................ (ir) a Machu Picchu?
- ○ Naturalmente. El emplazamiento es impresionante. .... (subir) a pie hasta la cima. Las vistas .... (ser) preciosas.
- ¿........................ (ser) muy caro el viaje?
- ○ No. Normalmente .... (comer) en restaurantes muy baratos y .... (dormir) en pensiones en lugar de hoteles. Una vez .... (dormir) al aire libre. .... (hacer) muy buen tiempo.
- ¿Y cómo .... (viajar)?
- ○ Como podíamos. Unas veces .... (viajar) en tren, otras en camionetas.... Y tú, ¿........................ (estar) en algún país latinoamericano?
- No, yo solo .... (viajar) por Europa. No .... (tener) nunca la oportunidad de cruzar el Atlántico. Quizá el año que viene.

7 Completa las preguntas con *qué*, *cuál* o *cuáles*.

1. ¿ .... es el río más largo del mundo?
2. ¿ .... país tiene frontera con Colombia y Costa Rica?
3. ¿En .... ciudad está el Pan de Azúcar?
4. ¿Por .... países pasan los Andes?
5. ¿ .... de estas ciudades está en Chile: Valparaíso o Mendoza?
6. ¿ .... es el desierto más grande de América del Sur?
7. ¿ .... país latinoamericano produce cobre?
8. ¿En .... de estas islas se habla español: en Jamaica o en Santo Domingo?
9. ¿ .... provincias españolas tienen frontera con Portugal?
10. ¿ .... es la ciudad más poblada de Argentina?

8 a) Ordena las palabras para formar preguntas completas. Luego, marca la respuesta correcta.

1. ¿capital Europa la de es alta más qué? .... a Madrid b Roma c París	4. ¿petróleo país qué se más latinoamericano en produce? .... a Venezuela b México c Argentina
2. ¿Ebro ciudades por el cuál pasa estas de? .... a Zaragoza b Barcelona c Salamanca	5. ¿cuál está Cancún estos de en países? .... a Panamá b Honduras c México
3. ¿Brasil tiene habitantes más ciudad de qué? .... a São Paulo b Brasilia c Río de Janeiro	6. ¿con Uruguay frontera qué tiene países ? .... a con Argentina y Brasil b con Paraguay y Brasil c con Brasil

b) Lee y comprueba tus respuestas.

Madrid, situada a 655 metros de altura sobre el nivel del mar, es la capital más alta de Europa.

El Ebro nace en Cantabria y desemboca en el Mediterráneo, en el sur de la provincia catalana de Tarragona. En su recorrido atraviesa Zaragoza, la capital de Aragón.

São Paulo, con más de 20 millones de habitantes, es la ciudad más poblada de Brasil. Le sigue Río de Janeiro, con 8 millones.

Muchos países latinoamericanos tienen importantes reservas de petróleo: México, por ejemplo, es el cuarto productor mundial. También destacan Venezuela y Argentina.

Cancún, en la península de Yucatán, y Acapulco, en la costa del Pacífico, son dos de los principales puntos turísticos de México.

Uruguay se asemeja en su forma a un triángulo. Uno de sus lados limita con Brasil, otro con Argentina, y el tercero con el océano Atlántico.

9 AUTOEVALUACIÓN

1. Piensa en cinco palabras que hayas aprendido en esta unidad y escribe frases con ellas.
   - ....
   - ....
   - ....
   - ....
   - ....
2. ¿Qué te ha parecido más difícil de esta lección? ¿Por qué?
   ....
   ....
   ....
3. ¿Qué vas a hacer para superar los problemas que has tenido?
   ....
   ....
   ....
   ....
   ....

VENEZUELA

10 **a) ¿Qué sabes de Venezuela? Lee las siguientes informaciones y señala si son verdaderas o falsas.**

	V	F
Cristóbal Colón descubrió Venezuela en su primer viaje a América.		
Venezuela significa "pequeña Venecia".		
Simón Bolívar, el Libertador, era venezolano.		
Venezuela es independiente desde el siglo XVIII.		
La población venezolana es mayoritariamente blanca.		
Venezuela tiene pocos recursos minerales.		

b) Ahora lee el texto sobre Venezuela y comprueba tus hipótesis.

VENEZUELA, PARAÍSO TERRENAL

La República Bolivariana de Venezuela, situada en el norte de América del Sur, es el sexto país en extensión de este subcontinente. Posee una gran diversidad de paisajes: selva tropical, extensos llanos con grandes saltos y ríos, montañas nevadas en los Andes venezolanos, y miles de kilómetros de espectaculares playas en sus costas e islas del mar Caribe. Cristóbal Colón, a su llegada a esta tierra en su tercer viaje a América, en 1498, escribió en su diario: "Creía haber llegado al paraíso terrenal".

El origen del nombre, Venezuela, data también de la época del descubrimiento. En algunas zonas de la costa, los exploradores españoles se encontraron aldeas construidas sobre el agua, que les recordaron a la ciudad de Venecia, de donde les vino la idea de llamar Venezuela, "pequeña Venecia", a esas primeras poblaciones indígenas.

En Caracas, su capital, fundada en 1567, nació Simón Bolívar, el Libertador, uno de los héroes de la independencia americana. Simón Bolívar participó en la declaración de independencia de Venezuela en 1811 y contribuyó a su consolidación derrotando al ejército español en la batalla del Lago de Maracaibo en 1823. Posteriormente participó en la lucha por la independencia de otras naciones latinoamericanas. Bolivia adoptó el nombre en su honor.

La población es mayoritariamente blanca, si bien con mucha mezcla de razas. Hay también pequeñas poblaciones de algunos de los primitivos habitantes indios en el sur del país, especialmente en el territorio Amazonas, así como población negra y mulata, descendientes de los antiguos esclavos, en las zonas agrícolas del litoral caribeño.

Venezuela posee un impresionante caudal de recursos minerales y energéticos. Es el octavo productor mundial de petróleo y posee además minas de hierro, aluminio, oro y diamantes.

11 Vuelve a leer el texto y comprueba a qué hacen referencia las siguientes fechas:

1498: ....

1567: ....

1811: ....

1823: ....

12 Prepara algunas frases verdaderas o falsas sobre el texto. Luego díselas a un compañero. ¿Sabe cuáles son verdaderas y cuáles falsas?

Colón llegó a Venezuela en 1567.

lección

4

Serpiente de palabras

1 a) Busca en la serpiente siete palabras que has estudiado en la lección 4 y escríbelas debajo.

1. *Paro*
2. ....
3. ....
4. ....
5. ....
6. ....
7. ....

b) Utiliza esas palabras para formar expresiones que han aparecido en la lección.

1. *Estar en paro.*
2. ....
3. ....
4. ....
5. ....
6. ....
7. ....

2 a) Elabora una lista de cinco cosas que hayas hecho en tu vida. Especifica cuándo las hiciste.

- ....
- ....
- ....
- ....
- ....

b) Fíjate en el modelo y relaciona las frases que has escrito en el apartado a) utilizando *ya* o *aún / todavía no*.

(Cuando fui a Ecuador, todavía no me había casado.)
(Cuando me casé...)

1. ....
2. ....
3. ....
4. ....
5. ....

3 a) En algunas de estas frases hay un error. Haz las correcciones necesarias.

1 ¿Qué es con tu vida?
¿Qué es de tu vida?
2 ¡Cómo me alegro a verte!
3 ¡Cómo pasa el tiempo!, ¿verdad?
4 ¡Hombre, qué sorpresa!, ¡tú para aquí!
5 ¡Cuánto tiempo desde vernos!
6 ¿Y qué tal te van las cosas?
7 Si te digo la verdad, estoy harta con trabajar en esa oficina.
8 Tengo muchísimas ganas para irme de vacaciones.

b) Ahora relaciona cada una de las frases anteriores con una de estas respuestas.

- ☐ A ¡Huy!, rapidísimo.
- ☐ B Pues sí; yo tampoco esperaba verte.
- ☐ C Últimamente me van estupendamente.
- ☐ D ¿Y ya sabes adónde vas a ir?
- [1] E Bien... bueno, normal, como siempre.
- ☐ F ¿Y por qué no intentas buscar otra cosa mejor?
- ☐ G Y yo también. ¡Qué alegría!
- ☐ H Pues sí; hacía más de un año que no nos veíamos.

4 a) Ordena las palabras y escribe las frases. Puntúalas adecuadamente.

1 tal qué todo oye va te → *Oye, ¿qué tal te va todo?*
2 sabes y Ricardo de qué → ....
3 encontrado que buenísimo sabes trabajo he un → ....
4 por qué aquí tú casualidad → ....
5 cuándo nos sabes veíamos no desde → ....
6 Gerardo ya verdad a conoces → ....
7 Rebeca que paro todavía creo en está → ....
8 día por vienes y casa qué hablamos un no a oye → ....

b) Ahora escribe una respuesta apropiada a cada caso.

1. ....
2. ....
3. ....
4. ....
5. ....
6. ....
7. ....
8. ....

Un chiste

5 a) Asegúrate de que entiendes estas frases.

–Mmm... Perdona, pero creo que no nos conocemos; no nos hemos visto nunca.
–¡Pero hombre, Rubén! ¡Cuánto tiempo sin verte!
–¡Pues entonces hace más tiempo!

b) Ahora escríbelas en las burbujas para completar este chiste.

c) Practica las frases del apartado a). Presta atención a la entonación.

6 Utiliza *a los/las...* o *dentro de* para escribir estas frases de otra forma. Haz los cambios que creas necesarios.

1 Se casaron en 1997 y se separaron cuatro años más tarde.
Se casaron en 1997 y se separaron a los cuatro años.

2 Te llamaré media hora más tarde.
....

3 Me saqué el carné de conducir en febrero y tres semanas después tuve un accidente.
....

4 Nos vemos dos horas más tarde, ¿no?
....

5 Empezó a trabajar cinco meses después de terminar la carrera.
....

6 Nos conocimos una semana después de llegar a Madrid.
....

7 a) A todas estas frases les falta una preposición. Complétalas.

1 Para mí no es difícil conducir: me saqué el carné tres semanas.
Para mí no es difícil conducir: me saqué el carné en tres semanas.

2 Yo me acuesto todos los días las once y las doce de la noche.
....

3 Empecé a estudiar inglés los seis años.
....

4 Hablo español que empecé a estudiarlo.
....

5 Navidades iré a ver a mis padres.
....

6 Todos los años tengo vacaciones desde julio septiembre.
....

7 Rafael y yo empezamos a salir juntos las pocas semanas de conocernos.
....

8 Vivo aquí hace más de dos años.
....

b) Ahora transforma las frases cuya información sea falsa para ti por otras verdaderas.

1. ....
2. ....
3. ....
4. ....
5. ....

Un encuentro no deseado

8 Lee esta historia desordenada y asegúrate de que entiendes todo. Luego, anota cúal es el orden correcto.

A) El año pasado, cuando terminé el curso, fui un día a Toledo. Me había invitado un amigo a pasar un fin de semana allí y yo había aceptado.

B) Unos minutos más tarde escuché un "buenos días" dirigido a mí, interrumpí la lectura, levanté la vista y vi a mi profesor de Historia Contemporánea –que me caía fatal– mirándome sonriente.

C) Saqué el billete, compré un periódico y me tomé tranquilamente un café. "¡Qué bien se vive sin exámenes!", pensé.

D) Fue un día de junio. Me levanté pronto y, como hacía un tiempo buenísimo, fui andando a la estación.

E) Intenté disimular mi sorpresa y mi contrariedad, le devolví la sonrisa y lo saludé. Intercambiamos algunas frases y yo no podía dejar de pensar en mi mala suerte y en lo que podía hacer durante el viaje.

F) Afortunadamente, llegó una señora muy simpática que hablaba mucho y se sentó a mi lado. Nos contó unas historias muy graciosas, y nos hizo reír y hablar a los dos. De esa forma pude descubrir algunas cosas de mi profesor y a partir de aquel día ya no me cayó tan mal.

G) Un cuarto de hora antes de la salida subí al tren, localicé mi asiento y empecé a leer el periódico.

Orden: A, D, ...

9 Piensa en un encuentro no deseado que hayas tenido alguna vez y escribe cómo fue.

....

....

....

10 AUTOEVALUACIÓN

1. **Piensa en las expresiones y estructuras más difíciles que hayas aprendido en esta lección y escribe frases con ellas.**

   ....

   ....

   ....

   ....

   ....

2. **¿Te ha parecido especialmente útil alguna actividad de esta lección? Explica por qué.**

   ....

   ....

   ....

3. **Piensa en algunas palabras o expresiones que sueles utilizar en tu lengua pero no en español. Averigua, si no lo sabes, cómo se dicen y se usan en español, y escribe frases con ellas.**

   ....

   ....

   ....

4. **¿Qué vas a hacer para no olvidar lo que has aprendido? Escríbelo.**

   ....

   ....

   ....

LAS LÍNEAS DE NAZCA

11 a) ¿Sabes algo sobre las líneas de Nazca? ¿En qué consisten?

b) Lee y comprueba. Puedes usar el diccionario.

EL ENIGMA

La cultura nazca o nasca se desarrolló en el valle del río Nazca, una región costera y desértica del sur del Perú, entre los años 300 a.C y 1000 d.C. A ella pertenecen las *líneas de Nazca*, una sorprendente y gigantesca obra artística declarada Patrimonio Cultural de la Humanidad por la UNESCO. Se trata de unos enormes dibujos que los nazcas hicieron en el suelo quitando la oscura grava de la superficie de la tierra para dejar al descubierto la roca de color claro que había debajo. Ocupan una extensión de 50 km de largo por 15 de ancho y ofrecen una vista mágica e inolvidable a quien tiene la oportunidad de contemplarlos.

Dichos dibujos representan diversos animales marinos y terrestres, así como figuras geométricas y humanas. De ellos podemos destacar un pájaro de casi 300 m; un lagarto de 180 m; un pelícano, un cóndor y un mono de 135 m cada uno; y una araña de 42 m. Como solo se pueden ver desde el aire, sus autores no tuvieron la suerte de poder observar y admirar su propia obra.

DE NAZCA

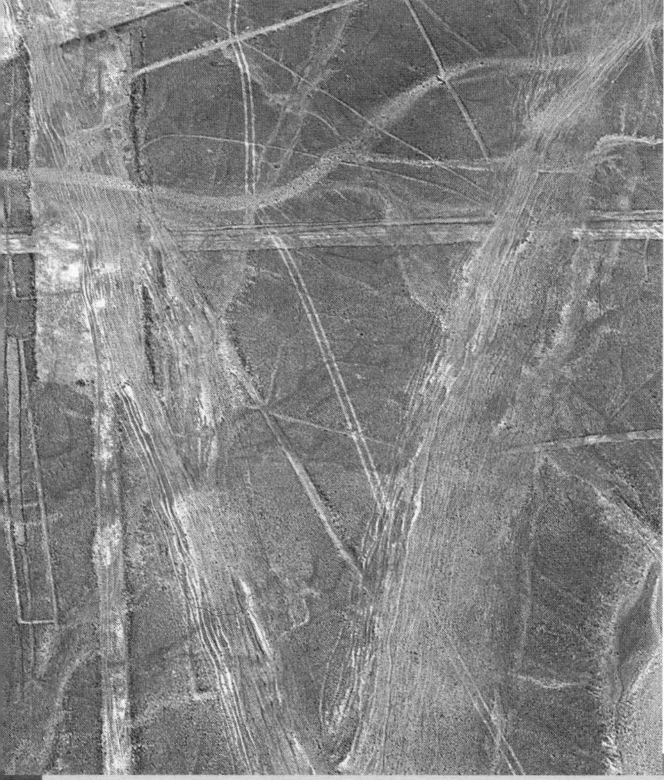

Aunque se desconoce su significado, la teoría más aceptada dice que cada uno de esos dibujos es una parte de un gran calendario astronómico en el que se incluyeron los movimientos más importantes de los astros de aquella época. Muchos especialistas afirman que probablemente contiene referencias a hechos como la llegada del invierno o del verano y a otros sucesos relacionados con sus actividades agrícolas.

c) Completa el cuadro con informaciones del texto.

1. ¿En qué país están las líneas de Nazca?	....
2. ¿Qué civilización las realizó?	....
3. ¿Cuándo se cree que fueron hechas?	....
4. ¿Cuánto espacio cubren?	....
5. ¿Qué se cree que forman entre todas?	....

d) Escribe los nombres de los animales que se mencionan en el texto, con la traducción en tu lengua.

• .... • .... • .... 

• .... • .... • ....

Evaluación y repaso 1

1 Completa estas frases.

1 • ¿Y desde cuándo trabajas aquí?
○ Desde .... tres semanas.

2 • Anoche no saliste, ¿verdad?
○ No, no; como .... (estar, yo) muy cansada, estuve leyendo un poco y, luego, me .... (acostar).

3 • ¿En .... país latinoamericano no existe un ejército nacional?
○ No estoy segura, pero creo que es en Costa Rica.

4 • ¡Hombre, Carmelo, qué sorpresa! ¿Tú .... aquí!
○ Pues sí, yo tampoco esperaba encontrarte.

5 • ¿Cuánto tiempo llevas .... (estudiar) portugués?
○ Casi un año.

6 Para mí, un amigo es una persona .... me comprende y me ayuda .... lo necesito.

7 Yo creo que México D.F. es .... de las ciudades .... grandes del mundo.

8 Cuando .... (subir) en avión por primera vez, ... (tener, yo) quince años.

9 • ¿Qué es .... que menos te gusta .... español?
○ Los verbos irregulares. Los encuentro un poquito difíciles.

10 Paloma y yo .... conocimos cuando .... (ser, nosotros) estudiantes.

11 ¿En .... de estos países está Medellín: en Colombia o en Bolivia?

12 • ¡Cuánto me alegro .... verte!
○ Yo también.

13 El año pasado .... (estudiar, yo) español en una escuela de Madrid y .... (aprender, yo) mucho porque mi profesor .... (ser) buenísimo.

14 Anoche, cuando .... (estudiar, yo) en casa, me .... (llamar) Alicia y estuvimos hablando mucho rato.

15 • ¿Has estado .... vez en Buenos Aires?
○ Sí, ... (estar, yo) el año pasado de vacaciones.
• ¿Y qué tal? ¿Te .... (gustar)?
○ ¡Huy!, muchísimo; me .... (encantar).

2 Consulta el solucionario para autocorregirte o pídele al profesor que corrija las frases y, luego, analiza los errores cometidos.

3 Repasa los contenidos gramaticales que consideres conveniente.

16 • Entonces, ¿terminaste la carrera y, luego, te sacaste el carné de conducir?
○ No, no; cuando terminé la carrera ya me .... (sacar) el carné.

17 El verano pasado, cuando estaba de vacaciones, me .... (acostar) todos los días tarde, pero un día que no me encontraba bien me .... (quedar) en el hotel y me .... (acostar) prontísimo.

18 • José y tú hace mucho que sois amigos, ¿no?
○ ¡Huy!, muchísimo: .... (hacernos, nosotros) amigos en el colegio.

19 ¿ .... de estas ciudades están en España: Granada, Potosí, Camagüey, Zaragoza?

20 • ¡Cuánto tiempo .... vernos!
○ Pues sí, desde la boda de Pilar...

21 • ¿Cómo .... conocisteis Ángela y tú?
○ .... presentó un amigo común.

22 • Ayer .... (llegar, yo) un poco tarde al trabajo por el tráfico.
○ Sí, es que .... (haber) demasiados coches en las calles; muchos más que hoy.

23 ¿Sabes .... qué países latinoamericanos pasa el río Orinoco?

24 • ¿Y vives todavía con tus padres?
○ No, me fui a vivir sola .... los dos meses .... empezar a trabajar.

25 El día que conocí a Felisa me .... (caer, ella) bastante mal.

26 • ¿Desde cuándo estudias español?
○ Desde .... conocí a Víctor, mi amigo chileno.

27 Alfonso dice que la primera vez que vio a Claudia, ... (parecer ella, a Alfonso) una mujer muy interesante.

28 • Oye, ¿qué tal .... te da el inglés?
○ Bastante bien, ¿y a ti?
• A mí no .... da muy bien.

29 • ¿Y qué es .... tu vida? ¿Sigues .... (salir) con Susana?
○ Sí, y queremos casarnos .... de unos meses.

30 • ¿Saben ustedes cuál es el país latinoamericano que tiene menos habitantes?
○ No sé, pero .... de ser Uruguay, ¿no?
Δ No, ... que ser Panamá, porque tiene menos de tres millones.

4 Sustituye las frases del test en las que has cometido errores por otras correctas.

5 Si lo deseas, puedes escribir otras frases con los contenidos que te parezcan más difíciles y dárselas al profesor, junto con las del ejercicio 4, para que las corrija.

lección 5

1 **a) Busca el significado de estas palabras en un diccionario.**

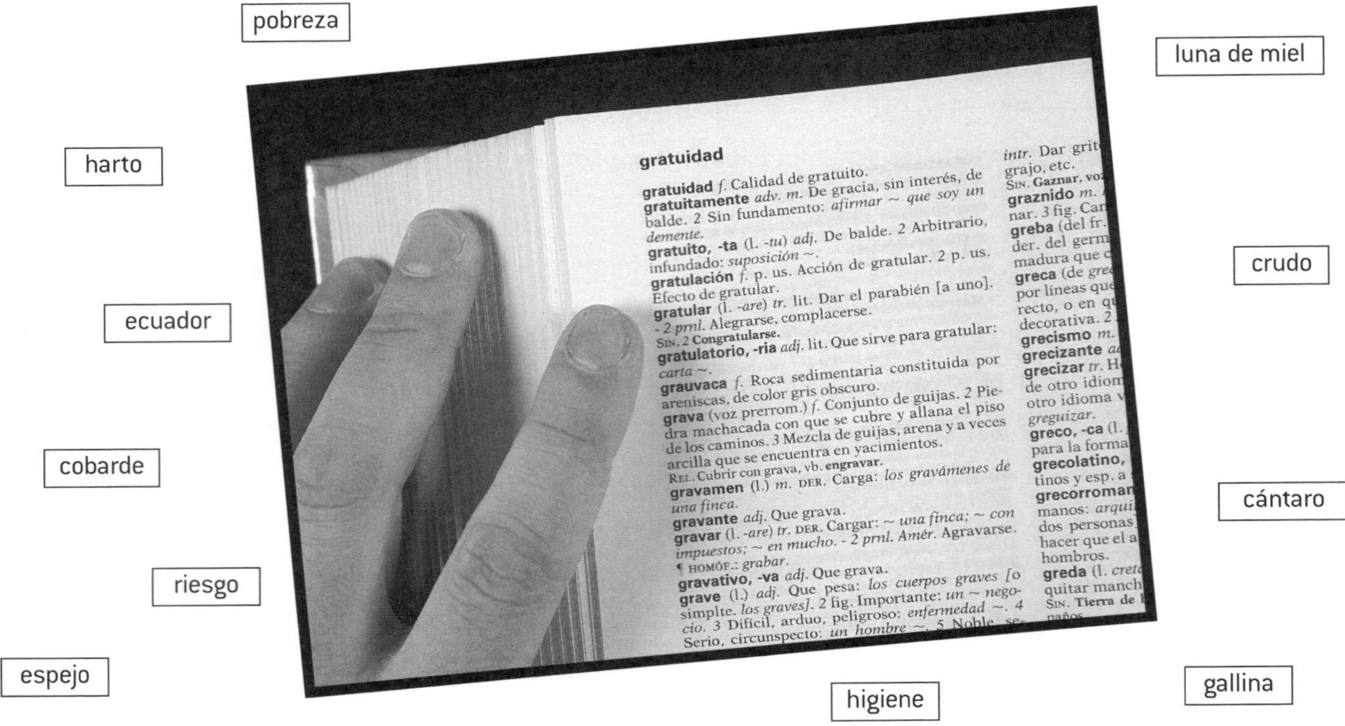

b) Intenta memorizarlas en cinco minutos. Utiliza las estrategias que mejor te vayan.

c) Ahora comprueba cuántas recuerdas. No mires arriba y escribe la palabra correspondiente a cada definición.

• Falta de lo necesario para vivir.	....
• Persona que no tiene valor para enfrentarse a un peligro.	....
• Posibilidad de un daño o peligro.	....
• Vasija grande de barro o metal para llevar agua o leche.	....
• Los primeros días de una pareja recién casada.	....
• Cristal en el que se ven reflejadas las cosas.	....
• Limpieza necesaria para evitar enfermedades.	....
• Hembra del gallo.	....
• Alimento que no ha sido cocinado.	....
• Círculo imaginario que parte la Tierra en dos.	....
• Muy cansado de algo.	....

¿Cuántas has recordado? ¿Qué estrategias te han sido más útiles?

2 Forma parejas de opuestos con estas palabras.

1. *optimista-pesimista*
2. ....
3. ....
4. ....
5. ....
6. ....
7. ....
8. ....
9. ....
10. ....
11. ....
12. ....
13. ....

3 Completa el cuadro con las formas correspondientes de los adjetivos.

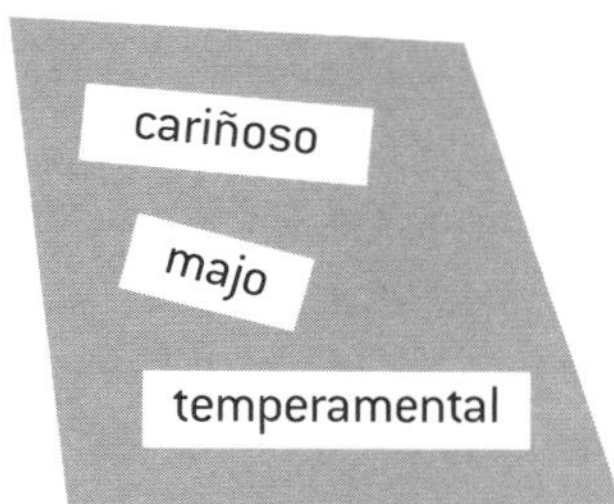

SINGULAR		PLURAL	
Masculino	Femenino	Masculino	Femenino
majo	*maja*	*majos*	*majas*

4 Elige la palabra adecuada.

1. Es bastante/poco tímido. Se pone rojo cuando le habla una chica.
2. No es una/nada trabajadora. Falta mucho a la oficina.
3. Es muy/nada miedoso. No se atreve a hacer puenting.
4. Es poco/un poco agresiva. Jamás discute con nadie.
5. Es una/poco egoísta. Solo piensa en ella.
6. Arturo es más bien/poco tranquilo. No se pone nervioso fácilmente.
7. Es poco/un poco vago. Le cuesta hacer cualquier cosa.
8. Es demasiado/algo responsable. Nunca hace nada que pueda estar mínimamente mal.
9. Es algo/muy insegura. A veces duda cuando tiene que tomar una decisión importante.
10. Es un poco/poco pesimista. Cree que todo va a salir mal.

5 ¿Cómo te ves tú en los siguientes aspectos?

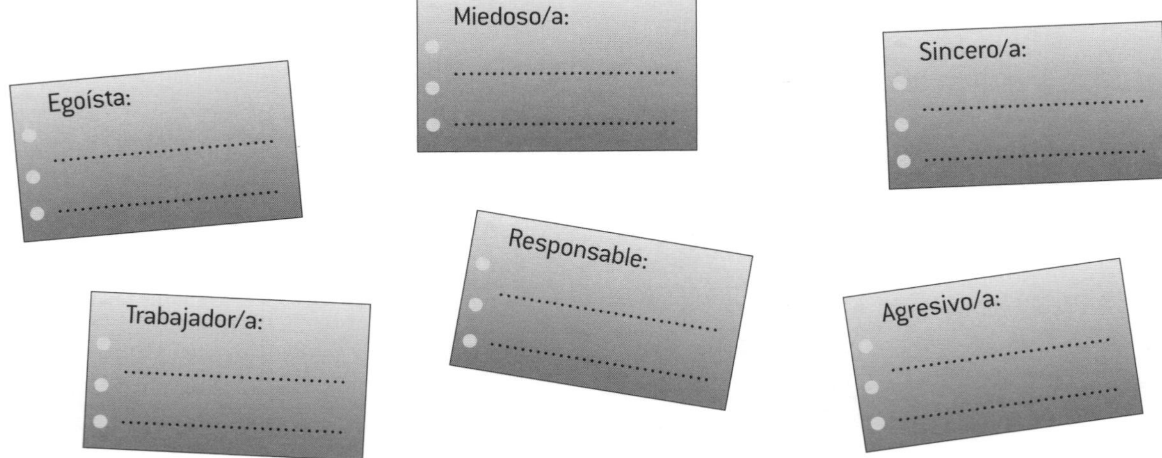

6 Completa de manera adecuada con los verbos *caer, llevarse* o *parecerse*.

1. A mí *me cae fatal* el presidente de los Estados Unidos. Es muy agresivo.
2. .... con mis vecinos. Son muy amables.
3. .... con mi hermano. Siempre estamos peleando.
4. .... a mi madre. Somos iguales.
5. A mis padres .... la novia de mi hermano. Es mona y simpática. .... con ella.
6. A mi novio/a .... mis amigos. No quiere salir con ellos.
7. Mi hermano y yo .... Somos totalmente diferentes.
8. Juan .... con sus compañeros. Son bastante egoístas.
9. Alicia .... a su padre. Tienen el mismo carácter.
10. Alberto y Julián .... Tienen las mismas ideas. Y además, ... muy bien.
11. Arturo y yo .... No podemos ni vernos.
12. Mis compañeros de trabajo .... Son muy colaboradores.

7 Copia las palabras o expresiones del recuadro en la columna correspondiente.

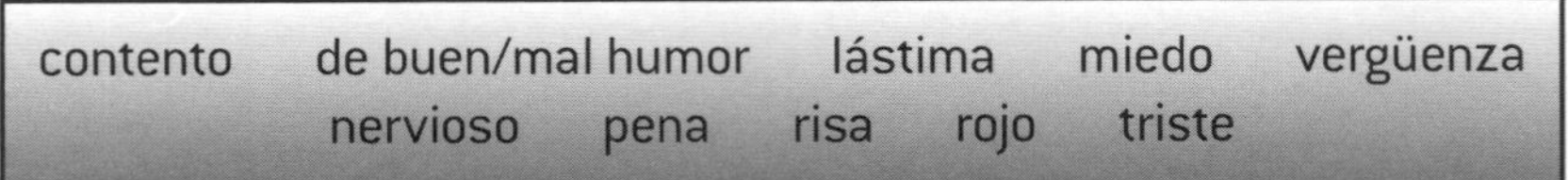

DAR	PONER(SE)
miedo	

8 Ahora completa las frases con la forma adecuada de los verbos.

1. Jesús es muy miedoso. .... volar.
2. Alberto es tímido. .... cuando habla con una chica.
3. .... cuando hablo en público. Me tiembla la voz y me equivoco.
4. Las injusticias .... Paso unos días como enfadado.
5. Todo el mundo .... cuando recibe buenas noticias.
6. A Luisa .... ir elegante. No está acostumbrada.
7. .... ver a gente pidiendo en la calle.
8. .... oír a un taxista decir que la gente no sabe conducir.

9 ¿Qué sentimientos te produce lo siguiente?

- (Ver animales enjaulados) ....
- (Ver a una persona borracha) ....
- (Conducir a mucha velocidad) ....
- (La violencia) ....
- (Un aumento de sueldo) ....
- (Estar enfermo) ....
- (Recibir un regalo) ....
- (Hablar en público) ....

10 AUTOEVALUACIÓN

1. a) Piensa en cinco palabras o expresiones que hayas aprendido en esta unidad. ¿Qué estrategias puedes emplear para recordarlas?

....
....
....
....
....

b) Escribe frases con ellas.

....
....
....
....
....

2. ¿Qué te ha parecido más útil de esta lección? ¿Por qué?

....
....
....

3. ¿Qué te ha parecido más difícil y qué vas a hacer para dominarlo?

....
....
....

LA JUVENTUD ESPAÑOLA

11 Lee y averigua si lo siguiente es cierto o falso.

	V	F
En España hay cerca de 10 millones de jóvenes.		
10 millones de jóvenes españoles colaboran con alguna ONG.		
Los jóvenes españoles son poco trabajadores e irresponsables.		
La mayoría solo piensa en ganar dinero.		
Están poco politizados.		
Los jóvenes españoles son buenos hijos y amigos.		
Tienen muchos accidentes de coche.		
Pocos cambian cuando se casan.		

LOS JÓVENES HOY

Los psicólogos definen la juventud como una época de la vida en la que las personas se muestran agresivas, soñadoras y amantes del riesgo, algo que no tiene por qué ser negativo. La mayoría de los jóvenes usan tales cualidades de forma positiva: sueñan con un mundo mejor para todos y luchan contra las injusticias sin importarles las consecuencias. Y, además, según parecen indicar algunos estudios, los jóvenes españoles no se limitan a soñar. Cerca de un 10 % de los casi 10 millones de jóvenes de la población española, es decir, casi un millón, colaboran con diversas ONG en actividades voluntarias no remuneradas. Y el número va en aumento.

Además de idealistas, los jóvenes españoles parecen también tener la cabeza en su sitio. Los estudios los muestran como trabajadores y responsables. Un gran porcentaje menciona entre las principales aspiraciones en su vida tener un trabajo que les guste y tener una familia.

Es significativo que solo el 7 % se plantea como meta ganar mucho dinero, y solo el 1 % aspira a tener poder. Algo que parece relacionado con el lugar que ocupa la política en sus vidas; solo un 17 % de los menores de 30 años afirman estar politizados.

Estos mismos estudios muestran otra de las grandes cualidades de la juventud española: su amor por su familia y sus amigos. Más de un 90 % consideran que familia y amigos son su mayor fuente de satisfacción y demuestran hacia ellos un cariño y una fidelidad a prueba de bomba.

Hay también, naturalmente, jóvenes egoístas, consumistas, agresivos y poco solidarios, cuya única meta en esa etapa de su vida es disfrutar a tope, no dudando para ello en recurrir a todo tipo de emociones fuertes, incluyendo el alcohol y otras drogas. Estas son las causas de que el número de jóvenes conductores muertos en las carreteras españolas supere el millar, a los que hay que sumar unos 10 000 heridos, algunos con lesiones muy graves.

Pero, afortunadamente, tal situación es pasajera. En cuanto forman una familia, su comportamiento cambia radicalmente y sus preocupaciones e intereses se centran más en su familia y en su trabajo. Como reza el dicho, "la juventud es una enfermedad que se cura con los años".

Fuentes: *Cambio 16* y *Jóvenes Españoles 99.*

12 Prepara frases verdaderas o falsas sobre las informaciones del texto. Luego díselas a tus compañeros. ¿Saben cuáles son falsas y cuáles verdaderas?

1. *El 10 % de los jóvenes españoles colabora con alguna ONG.*
2. ....
3. ....
4. ....
5. ....
6. ....
7. ....
8. ....

13 ¿Qué te ha llamado más la atención del texto? ¿Qué diferencias observas con la juventud de tu país? Coméntalo con tus compañeros.

l e c c i ó n **6**

Vocabulario

a) Añade las vocales necesarias para formar palabras que aparecen en la lección 6 del libro del alumno.

1. f_ _st_s p_tr_n_l_s	4. b_d_	7. c_ _nt_ d_ h_d_s	10. c_b_rd_
2. g_ll_n_	5. t_rn_r_	8. c_rd_	11. p_ll_
3. v_l_ _nt_	6. l_n_ d_ m_ _l	9. p_br_z_	12. b_ls_

b) ¿Cuáles de ellas son nombres de animales? Cópialas debajo de los dibujos correspondientes. Luego escribe los nombres de los otros animales (puedes usar el diccionario).

1. 

Una gallina.

2. ....

3. ....

4. ....

5. ....

6. ....

7. ....

8. ....

9. ....

10. ....

c) Escribe otros nombres de animales que conozcas. Luego averigua los nombres de otros tres animales y escríbelos con la traducción en tu lengua.

La columna: presente de subjuntivo

2 a) Escribe formas verbales en presente de subjuntivo. Luego lee en la columna los apellidos de un escritor latinoamericano muy famoso.

1. Llegar (usted).
2. Ser (nosotras).
3. Recordar (yo).
4. Empezar (ellos).
5. Seguir (usted).
6. Elegir (ustedes).
7. Saber (nosotros).
8. Tener (tú).
9. Correr (ella).
10. Tocar (ustedes).
11. Poder (él).
12. Estar (vosotras).
13. Conocer (tú).

1. L L E [G] U E
2. _ _ [_] _ _ _
3. _ _ _ _ _ [_] _ _
4. _ _ _ _ _ [_] _ _
5. _ [_] _ _
6. _ _ _ _ [_] _
7. _ _ _ _ [_] _ _
8. _ _ _ _ [_] _
9. _ _ [_] _ _
10. _ _ [_] _ _ _
11. _ [_] _ _ _
12. _ _ _ [_] _ _
13. _ _ _ _ [_] _ _ _

b) Escribe el infinitivo de esos verbos. Agrúpalos según la irregularidad que tengan en el presente de subjuntivo.

REGULARES	IRREGULARES			
	o → ue	i → ie	e → i	otras irregularidades
....	....	....	....	....
....	....	....	....	....
....	....	....	....	....
....	....	....	....	....
....	....	....	....	....
....	....	....	....	....
....	....	....	....	....
....	....	....	....	....
....	....	....	....	....
....	....	....	....	....
....	....	....	....	....
....	....	....	....	....
....	....	....	....	....

c) Añade dos infinitivos en cada columna.

Ortografía

La **c**, la **z** y la **q**

3 a) Fíjate en los infinitivos de 2b) que se escriben con *c* o con *z* y en sus correspondientes formas de subjuntivo para completar este cuadro con *c, z* o *q* y con sus vocales.

/θ/	/**k**/
_ a	_ _
_ e	_ _ _
c i	q u i
_ o	_ _
z u	_ _

La **g** y la **j**

b) ¿Recuerdas las reglas ortográficas que se aplican para usar estas dos letras? Algunas formas verbales de la actividad 2 te servirán de ayuda para completar el cuadro.

/**x**/	/**g**/
_ a	_ a
_ e, _ e	_ _ e
_ i, _ i	_ _ i
_ o	_ o
j u	g u

c) Escribe algunas palabras a las que se les apliquen las reglas vistas y que te parezcan difíciles.

....

....

4 a) Lee este cómic incompleto de Maitena y forma una frase con estas palabras para completar el título.

un	y	diré	te	esperas	qué	de	hombre

b) Léelo de nuevo y observa cómo cambian los deseos con el paso del tiempo. Luego escribe estas frases en las viñetas que consideres apropiadas.

Que sea soltero	¡Que esté sano!	¡Que sea divertido!

c) Compara "tu cómic" con el original. ¿Coinciden?

d) Y tú, ¿qué esperas de una persona con la que puedes mantener una relación afectiva? Escríbelo detalladamente.

Espero que ....

....

5 a) Ordena estos deseos sobre el futuro. Pon las mayúsculas necesarias.

1. ¡ terminen en hay todas mundo las ojalá guerras el que ! → *¡Ojalá terminen todas las guerras que hay en el mundo!*
2. más energías espero alternativas produzcamos que → ....
3. fácil sea deseo relacionarse que gente más la con → ....
4. para remedio que un descubran el espero pronto sida → ....
5. ¡ que ojalá mejor ahora vivamos ! → ....
6. niños escolarizados deseo los que todos estén → ....
7. ¡ más tengamos que libre ojalá tiempo ! → ....
8. sea gente que la espero tolerante más → ....

b) ¿Puedes añadir tú algún deseo sobre el futuro?

6 Escribe los deseos que formularías en estas situaciones sociales.

1. Tu hermana se va a la fiesta de unos amigos.
   ¡Que ....!
2. Un compañero de clase se va a examinar del carné de conducir.
   ....
3. En Nochevieja, justo cuando empieza el Año Nuevo.
   ....
4. Tu hermano se va a tumbar en el sofá porque ha trabajado mucho y está cansadísimo.
   ....
5. Una amiga tuya va a visitar a sus padres y a celebrar su cumpleaños con ellos.
   ....
6. A un amigo tuyo le van a hacer una entrevista para un trabajo.
   ....
7. El viernes por la tarde, terminas de trabajar y te despides de tus compañeros.
   ....
8. Tu madre va a tomar el tren para hacer un viaje largo.
   ....

7 Lee los planes que tiene esta señora para cuando se jubile. Lamentablemente, al escribirlos se han cometido algunos errores; corrígelos.

8 Piensa en los planes que tienes sobre tus estudios de español y lo que harás cuando los termines. Escribe frases utilizando *hasta que, cuando, en cuanto...*

9 AUTOEVALUACIÓN

1. Escribe frases con el vocabulario o las estructuras más difíciles que hayas aprendido en esta lección.
   ....
   ....
   ....
2. ¿Qué formas verbales del presente del subjuntivo te parecen más difíciles? Escríbelas.
   ....
   ....
   ....
3. Piensa en palabras o expresiones que llegas a confundir con otras. Piensa también en las causas y en lo que te puede ayudar a evitarlo. Luego escribe frases con ellas.
   ....
   ....
   ....

FIESTAS MEXICANAS

10 a) Lee el texto (puedes usar el diccionario). Luego responde a las preguntas que hay debajo.

El solitario mexicano ama las fiestas y las reuniones públicas. Cualquier pretexto es bueno para interrumpir la marcha del tiempo y celebrar con festejos y ceremonias hombres y acontecimientos. Somos un pueblo ritual. Y esa tendencia beneficia a nuestra imaginación tanto como a nuestra sensibilidad, siempre afinadas y despiertas. El arte de la Fiesta, envilecido en todas partes, se conserva intacto entre nosotros. En pocos lugares del mundo se puede vivir un espectáculo parecido al de las grandes fiestas religiosas de México, con sus colores violentos, agrarios y puros, sus danzas, ceremonias, fuegos de artificio, trajes insólitos y la inagotable cascada de sorpresas de los frutos, dulces y objetos que se venden esos días en plazas y mercados.

OCTAVIO PAZ:
El laberinto de la soledad

1. ¿Se celebran muchas fiestas en México?
   ....
2. ¿Son importantes las fiestas para los mexicanos?
   ....
3. ¿Qué cosas se pueden comprar en la calle los días que se celebran fiestas religiosas importantes?
   ....
4. ¿Qué actividades típicas de esos días se mencionan en el texto?
   ....

b) ¿Qué título le pondrías?

....

c) ¿Cuál de estas fotos corresponde a una fiesta mexicana?

1

2

3

4

d) Relaciona las fotos con estos nombres de fiestas.

- Las fiestas de Moros y Cristianos, de Murcia (España).
- El Día de los Muertos (México).
- La fiesta del Sol, de Cuzco (Perú).
- El carnaval de Puerto Rico.

lección 7

1 Completa el crucigrama con las palabras del recuadro.

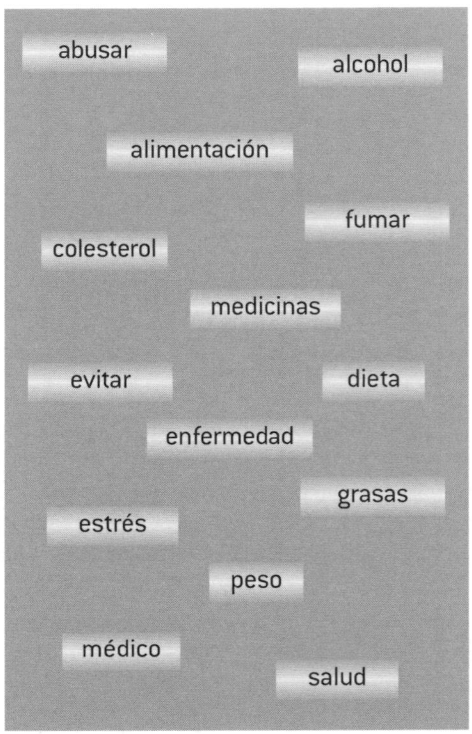

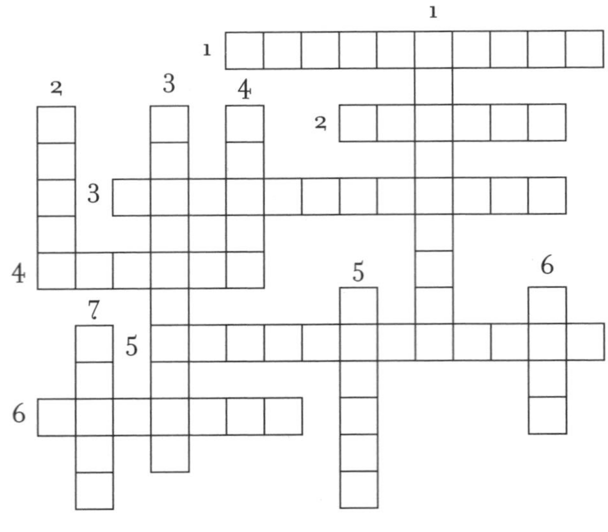

Horizontal

1. Lo que tenemos cuando no estamos bien.
2. La persona que nos cura el 1 horizontal.
3. Lo que nos sirve de alimento.
4. Tomar algo en exceso.
5. Intentar no estar siempre en tensión (dos palabras).
6. Bebida que nos produce placer primero y luego malestar.

Vertical

1. Lo que nos da el 2 horizontal para curarnos el 1 horizontal.
2. Nuestra comida y bebidas habituales.
3. Un exceso de esto nos crea problemas de circulación de la sangre.
4. Es malo para los pulmones.
5. Un exceso de esto en el 2 vertical puede producir el 3 vertical.
6. Ganamos esto si no llevamos un 2 vertical adecuado.
7. Ausencia de enfermedades.

2 Completa el cuadro con las formas de imperativo de los verbos.

		TÚ	USTED	VOSOTROS/AS	USTEDES
descansar	afirmativo	*descansa*	*descanse*		
	negativo	*no descanses*			
consumir	afirmativo				
	negativo				
alimentarse	afirmativo				
	negativo				
dormir	afirmativo				
	negativo				
hacer	afirmativo				
	negativo				
tener	afirmativo				
	negativo				
poner	afirmativo				
	negativo				
ir	afirmativo				
	negativo				

3 Completa estos consejos para mantenerse sano. Utiliza los verbos del recuadro en afirmativa o negativa.

abusar · caminar · hacer · comer · poner · dormir · fumar · tomar · seguir

A un amigo:
1. No abuses del alcohol.
2. .... más verduras.
3. .... al menos ocho horas todos los días.
4. ....
5. .... al menos dos kilómetros todos los días.
6. .... muchas grasas animales.

Un médico a un paciente:
7. .... ejercicio físico todas las mañanas.
8. .... mucha sal en las comidas.
9. .... al menos dos litros de agua al día.
10. .... mucho café.
11. .... una revisión médica todos los años.
12. .... una dieta equilibrada.

4 Escribe otros consejos para un amigo.

....

....

....

....

....

5 Completa el cuadro con las formas verbales que faltan.

INFINITIVO	FUTURO	CONDICIONAL SIMPLE
hablar	....	....
....	comeré	....
....	....	viviría
hacer	....	....
....	vendré	....
....	....	saldría
decir	....	....
....	aceptaré	....
....	....	bebería
querer	....	....
....	podré	....
....	....	sabría
poner	....	....

6 Empareja cada problema con una solución.

1 Duermo mal.

2 No tengo ganas de comer.

3 Tengo estrés.

4 Estoy engordando mucho.

5 Me duele mucho la espalda.

6 Estoy deprimido.

7 No me gusta mi trabajo.

A Yo, que tú, me tomaría unos días de vacaciones.

B No deberías tomar bebidas excitantes.

C Deberías tomar vitaminas.

D Yo, en tu lugar, me haría un chequeo.

E Deberías salir más.

F Yo, que tú, buscaría otro.

G Yo cambiaría de cama.

7 ¿Qué otros consejos darías tú?

1. *Yo contaría ovejas.*
2. ....
3. ....
4. ....
5. ....
6. ....
7. ....

8 Completa estas conversaciones.

1. • Estoy engordando mucho.
 ○ Ve al médico.
 • ..... he ido, pero sigo ....
 ○ Pues ..... ejercicio físico.
 • Ya ..... hago, pero nada.

2. • Toso mucho.
 ○ Yo dejaría de ..... .

3. • Estoy agotado. No sé qué ..... .
 ○ Yo que ....., ... al médico.
 • He ido y estoy tomando unas vitaminas.
 ○ Yo seguiría ..... las vitaminas.

4. • No veo bien últimamente.
 ○ ...... ir a un oculista.
 • Pero es que no quiero llevar gafas. Tú, ¿qué ....?
 ○ Me operaría. Ahora es muy fácil.
 • ¡Ah! Me ...... una buena idea.

9 Autoevaluación

1. Piensa en cinco palabras que hayas aprendido en esta unidad y escribe frases con ellas.

....

....

....

....

....

2. ¿De cuántas maneras diferentes sabes dar un consejo? Demuéstralo con varios ejemplos.

....

....

....

....

3. ¿Qué te ha parecido más difícil de esta lección? ¿Por qué?

....

....

....

4. ¿Qué vas a hacer para superar los problemas que has tenido?

....

....

....

....

....

ARGENTINA Y LOS MEDICAMENTOS

10 Lee y averigua si lo siguiente es cierto o falso.

	V	F
Los argentinos gastan mucho en medicinas.		
Las mujeres consumen más medicinas que los hombres.		
Los argentinos entienden mucho de medicina.		
Solo se puede comprar medicamentos en las farmacias.		
Algunos medicamente son falsificados.		

LAS MEDICINAS, ¿UN PELIGRO?

Argentina ocupa el cuarto lugar mundial de venta de medicamentos, con un gasto anual de 6 500 millones de pesos. Ello debería garantizarles a los argentinos una vida de bienestar. Y sin embargo, el consumo de fármacos en Argentina constituye uno de los mayores riesgos de salud en ese país. Uno de cada cuatro argentinos toma medicamentos por su cuenta, el 15 % de las consultas tienen como causa problemas debidos a la automedicación, y se calcula que cada año mueren 10 000 personas por este motivo.

Hombres y mujeres por igual consumen sin dudar todo tipo de pastillas que prometen cuerpos perfectos, sueños profundos, días de una energía interminable. Pero también compran sin consultar medicamentos para autotratarse todo tipo de dolencias. Según un portavoz del Colegio de Farmacéuticos de Capital y Gran Buenos Aires, se trata de algo cultural: "En su pensamiento, el argentino cree que se las sabe todas, y lo mismo pasa con los medicamentos. Siente que sabe perfectamente cómo combatir sus dolores. Y es un grave error porque los efectos pueden ser mortales".

Los argentinos tienen fácil acceso a las medicinas. El 8 % son de venta libre, aunque el porcentaje real es mucho mayor porque muchos farmacéuticos venden de todo sin receta médica. El problema se ve agravado porque cada día es más fácil conseguir remedios en quioscos, supermercados, o incluso en la calle y en el tren, y además muchos de estos productos son falsificados.

Ante tal situación, el Colegio de Farmacéuticos decidió hacer algunas recomendaciones sencillas a la población:

- No tome medicinas sin antes consultar a su médico, y siga todas sus indicaciones.
- No compre ningún remedio en la calle. Compre únicamente en farmacias.
- Asegúrese de que el producto que compra es el producto original.
- Rechace las medicinas de origen dudoso.

Fuente: *Clarín*

11 **Vuelve a leer el texto y localiza sinónimos de *medicina* y *enfermedad*.**

- ....
- ....

12 **Prepara dos preguntas sobre el texto para tus compañeros. Luego, házselas.**

¿Cuánto se gastan los argentinos en medicinas?

13 **¿Te has automedicado alguna vez? ¿Cuáles fueron los resultados? Coméntalo con la clase.**

lección **8**

Vocabulario

1 **Busca derivados de:**

solo ....
tratar ....
curioso ....
imprimir ....
instruir ....

M	E	L	U	P	C	R	A	H	I	S
T	R	A	T	A	M	I	E	N	T	O
S	O	D	G	T	U	J	P	O	V	L
U	I	M	P	R	E	N	T	A	R	E
E	C	U	R	I	O	S	I	D	A	D
Ñ	I	J	B	A	N	K	E	F	O	A
O	P	E	R	S	U	A	D	I	R	D
S	A	G	Y	L	Ñ	H	U	Q	E	X
I	N	S	T	R	U	C	C	I	O	N
L	F	Z	C	N	T	W	R	A	I	T
O	S	U	F	A	I	P	E	L	D	U

Busca también sinónimos de:

convencer ....
nación ....
ilusiones ....

2 **Completa el cuadro con las frases apropiadas.**

ESTILO DIRECTO	ESTILO INDIRECTO (Ayer...)
"Estoy un poco resfriada."	... dijo que estaba un poco resfriada.
"Tengo muchas ganas de irme de vacaciones."	....
....	... dijo que se había levantado muy pronto.
"He estado en la piscina con Luis."	....
"Fui a verla porque necesitaba hablar con alguien."	....
"No había visto nunca un paisaje como este."	....
....	... dijo que cuando era estudiante salía mucho.
"Hoy saldré tarde del trabajo."	....

3 **a) Ordena las palabras para formar citas de escritores famosos; puntúalas adecuadamente. Son definiciones de:**

- el artista
- la ley
- la literatura
- la memoria
- el talento

1 mezcla el debe niño ser mujer de y hombre artista
El artista debe ser mezcla de niño, hombre y mujer. (Ernesto Sábato, argentino)

2 es la bien literatura mentir verdad la
.... (Juan Carlos Onetti, uruguayo)

3 la es conciencia la de humanidad la ley
.... (Concepción Arenal, española)

4 deseo es el la satisfecho memoria
.... (Carlos Fuentes, mexicano)

5 buena medida cuestión es talento el en una de insistencia
.... (Francisco Umbral, español)

b) Ordena esta cita de Federico García Lorca.

español no estado América el no que sabe ha en es qué España

El español que ....

Ahora pásala a estilo indirecto.

Federico García Lorca dijo que ....

c) ¿Estás en desacuerdo con alguna de estas citas? Explícalo.

Un cómic

4 a) Lee este cómic sobre un suceso que tuvo lugar el mes pasado. Asegúrate de que entiendes todo.

b) Si no has descubierto por qué fue detenido el sospechoso, léelo de nuevo con atención. Si no lo averiguas, pídele alguna pista al profesor.

c) Explica por qué fue detenido.

....

5 Completa estas frases con la palabra adecuada.

1 ¿Serías tan amable decirle a Carmen que la ha llamado Federico para comentarle unas cosas?

....

2 Dígale, por favor, que me llame cuando, que necesito hablar con él.

....

3 Ha llamado Nuria y ha comentado el mes que viene se va de vacaciones a Cuba.

....

4 Adela quiere saber el día 15 es fiesta o no.

....

5 Tu madre me ha preguntado que vamos a ir a Salamanca: en tren o en autobús.

....

6 Te ha llamado José María: quiere le confirmes la hora de la reunión del viernes.

....

7 Ha llamado Rita. Ha preguntado vas a ir al concierto de Antonio Serrano.

....

6 ¿Qué crees que ha preguntado, ha dicho o ha pedido el interlocutor en cada caso? Escríbelo.

Le ha preguntado (que) si trabajan los sábados.

....

....

....

....

....

....

....

....

....

....

7 **a) Lee estas notas y escribe lo que han dicho las personas que han llamado por teléfono.**

1. Señor Maján:
Le ha llamado Irene. Que está en casa de Mercedes y que la llame usted en cuanto pueda.

"¿Puede decirle, por favor, que estoy en casa de Mercedes y que me llame en cuanto pueda?"

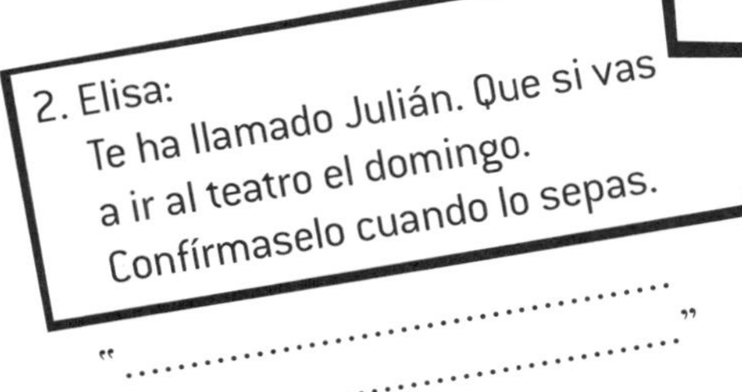

"..
...."

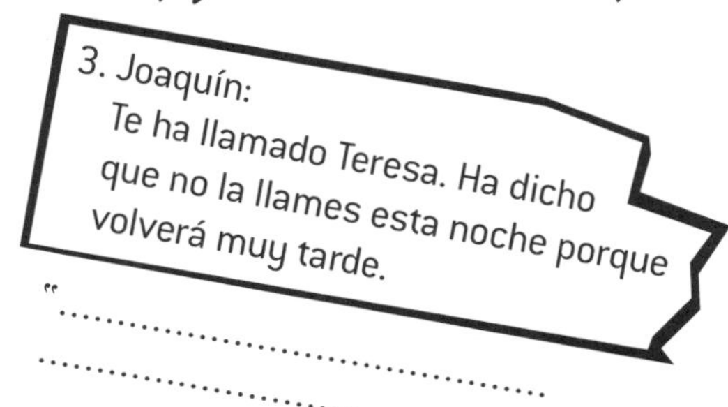

"..
...."

b) Ahora escribe notas para transmitir estas informaciones y peticiones.

1. "¿Puedes decirle a Sara, por favor, que la ha llamado Enrique para preguntarle si ya ha reservado mesa en el restaurante?"

Sara:
Te ha llamado Enrique. Que...

2. "Dígale, por favor, que la ha llamado el señor Molinos y que le envíe un correo electrónico cuando pueda."

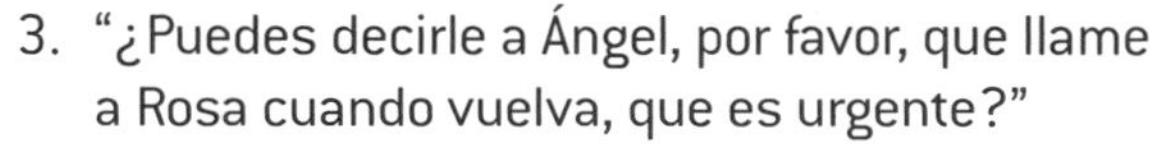

3. "¿Puedes decirle a Ángel, por favor, que llame a Rosa cuando vuelva, que es urgente?"

8 AUTOEVALUACIÓN

1. Escribe frases con el vocabulario o las estructuras más difíciles que hayas aprendido en esta lección.
....
....
2. Escribe las citas más interesantes que hayas descubierto en esta lección.
....
....
3. Piensa en algunas palabras, expresiones o estructuras que conoces pero que no usas casi nunca. Escríbelas e indica por qué las usas tan poco.
....
....
4. Si consideras que deberías usar más esas palabras, expresiones o estructuras, piensa cómo lo puedes conseguir y anótalo.
....
....

INFORMACIONES DE INTERÉS SOBRE AMÉRICA LATINA

9 a) Lee estas informaciones sobre América Latina. Puedes usar el diccionario.

1. Es la región con mayor masa forestal del mundo, un 45 % de su superficie, pero también es la de mayor índice de deforestaciones. Es, asimismo, la que tiene mayores reservas de agua per cápita y la que más energía eléctrica exporta. Contamina seis veces menos que los países industrializados.

2. Aunque posee las mayores reservas de materias primas y recursos naturales,solo exporta el 16,6 % de su Producto Interior Bruto. Es la región que menos importa, pero sus importaciones superan en 3 puntos a sus exportaciones.

3. En Latinoamérica podemos encontrar grandes desigualdades sociales, y en la actualidad continúan aumentando.

4. Sus habitantes viven una media de 70 años, cantidad solo superada en los países industrializados.

5. La escolarización primaria es del 91%, solo un punto por debajo de los países desarrollados.

6. Con más de 110 líneas telefónicas por cada mil habitantes, es la segunda región en desarrollo con mejor servicio (la primera es Europa del este). Es la mejor dotada de teléfonos públicos. La proporción de ordenadores personales es la más alta de las regiones en desarrollo.

7. La proporción del dinero destinado a fines militares ha disminuido. La media mundial alcanza el 2,8 % del Producto Interior Bruto, pero en la mayoría de los países latinoamericanos no llega al 2 %.

Fuente: *Cambio 16*

b) Ponle uno de estos títulos a cada una de esas informaciones.

- Comunicaciones
- Esperanza de vida
- Recursos naturales
- Exportaciones-importaciones
- Educación
- Gasto militar
- Niveles de vida

1. *Recursos naturales*
2. ....
3. ....
4. ....
5. ....
6. ....
7. ....

c) Escribe las informaciones que te parezcan más interesantes o más te llamen la atención.

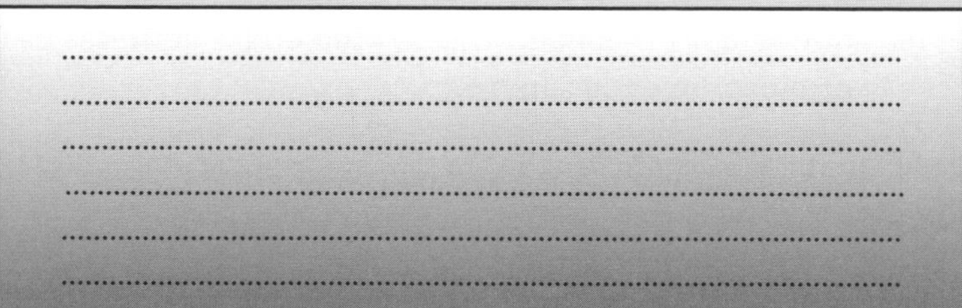

d) Escribe otras informaciones que conozcas sobre Latinoamérica o que hayas descubierto desde que estudias español.

Evaluación y repaso 2

1 Completa estas frases.

1 • ¿Qué tal .... (caer, a ti) los nuevos compañeros que tenemos?
○ Estupendamente, ¿y a ti?
• A mí .... (caer) muy bien también; yo creo que son muy majos.

2 Espero que el próximo fin de semana .... (hacer) buen tiempo y .... (poder, nosotros) ir a la playa.

3 Le voy a dar unos consejos muy sencillos: .... (acostarse, usted) pronto y .... (procurar, usted) dormir unas ocho horas diarias.

4 Cuando hablé con él me comentó que lo sabía porque ya se lo .... (decir) su madre.

5 • ¿Qué tal .... (llevarse, usted) con Pilar?
○ Genial, ¿y usted?
• Yo también .... (llevarse) muy bien con ella; es una persona encantadora.

6 ¡Qué ganas tengo .... termine este curso! Se me está haciendo larguísimo.

7 • Y la verdad es que no sé qué hacer. ¿Qué .... (hacer) usted en mi lugar?
○ Yo .... (hablar) con ella y le .... (explicar) todo.

8 ¿Sería usted .... amable de decirle al señor Crespo que me .... (llamar) en cuanto pueda?

9 • ¿A quién .... (parecerse, tú) de tu familia?
○ A una tía mía; dicen que soy igual que ella.
• Pues yo .... (parecerse) mucho a mi abuelo materno.

10 • ¡Suerte y que .... (ir, a ti) bien!
○ Gracias. Eso espero.

11 Dicen los médicos que tomar un poco .... vino en las comidas es bueno .... la salud porque favorece la circulación de la sangre.

12 Ha llamado tu hermana y ha dicho que la .... (esperar, tú) esta tarde antes de salir de compras porque quiere ir contigo.

13 A mí .... (poner) muy nervioso las personas mentirosas.

14 ¡Que el año que empieza .... (ser) muy bueno para todos y se .... (cumplir) todos nuestros deseos!

15 Y una última recomendación: no .... (olvidarse, usted) de tomar las pastillas que le he recetado.

2 Consulta el solucionario para autocorregirte o pídele al profesor que las corrija. Luego, analiza los errores cometidos.

3 Repasa los contenidos gramaticales que consideres conveniente.

16 Ha llamado Juan Ángel: que .... vamos a quedarnos aquí este fin de semana; me ha dicho que tiene muchas ganas de .... (ver, a nosotros).

17 • A mi hija pequeña .... (dar) mucho miedo los perros; siempre que ve uno, se asusta.
○ A mí también .... (dar) miedo cuando era pequeño.

18 Mañana, cuando .... (salir, yo) del trabajo, ... (ir, yo) a ver a Margarita.

19 Yo .... tú, trataría .... llegar a un acuerdo con él.

20 • ¿Te llamó ayer José María?
○ No.
• ¡Qué raro! Si me dijo que te .... (llamar) anoche para decirte una cosa...

21 Yo .... (ponerse, yo) de bastante mal humor .... tardan mucho en servirme la comida en un restaurante.

22 Yo seguiré viviendo en esta casa hasta que .... (trasladarse) mis padres aquí.

23 Si quiere usted mantenerse .... forma, ... (practicar) algún deporte y .... (llevar) una vida sana.

24 Ha llamado Mirta y me ha preguntado que .... sabes .... va a ser la reunión: el jueves o el viernes.

25 • Creo que tú y yo .... parecemos .... muchas cosas.
○ ¡Huy! .... muchísimas.

26 ¡Ojalá .... (venir) Francisco y .... (ver) lo que está pasando!

27 • .... (molestar) mucho ver la televisión con el volumen demasiado alto.
○ Yo no .... soporto.

28 No te preocupes, que en cuanto .... (saber, yo) algo, te lo diré.

29 Ha llamado tu abogado: quiere que le .... (llevar, tú) la carta de la compañía de seguros cuando .... (poder, tú).

30 • Creo que estoy engordando mucho.
○ Pues .... (hacer, tú) deporte, que es muy bueno.
• .... ya hago, pero sigo igual.
○ Pues no .... (comer, tú) tantos dulces, que me parece que comes demasiados.
• Sí, tienes razón, pero es que me gustan tanto...

4 **Sustituye las frases del test en las que hayas cometido errores por otras correctas.**

5 **Si lo deseas, puedes escribir otras frases con contenidos que te parezcan difíciles y dárselas al profesor, junto con las del ejercicio 4, para que las corrija.**

lección 9

1 Observa estas fotos de ciudades. ¿Qué adjetivos aplicarías a cada una?

aburrida	bonita	acogedora	alegre	
caótica	fea	limpia	ruidosa	sucia
tradicional	tranquila	abierta		

2 Lee opiniones sobre las ciudades de las fotos de 1. ¿A cuál de ellas crees que corresponde cada opinión?

Es una ciudad muy viva, pero muy caótica. Puede parecer incluso peligrosa. Tarda uno en acostumbrarse a ella porque hay que hacer las cosas de una manera especial. A mí lo que menos me gusta es la suciedad. A eso no me acostumbro.

1-

Me gusta porque es una ciudad muy bonita, muy limpia y tranquila. A algunas personas les puede parecer aburrida porque no hay mucha vida en las calles, pero la verdad es que tiene un gran ambiente cultural y siempre hay conciertos, conferencias y todo tipo de actos.

2-

Me encanta porque es una ciudad muy alegre y abierta. Siempre hay vida en las calles; parece que está permanentemente en fiesta. Tiene aspectos desagradables, como el ruido y la suciedad, pero desgraciadamente nadie les da importancia.

3-

3 Une las frases con las palabras del recuadro.

(y) además	a pesar de (que)	pero

1. Me gusta Madrid. Es una ciudad muy caótica.
   Me gusta Madrid a pesar de que es una ciudad muy caótica.
2. Madrid es muy alegre. Es muy acogedora. → ....
3. Es ruidosa y sucia. No le importa a nadie. → ....
4. Es una ciudad agradable. Tiene muchos inconvenientes. → ....
5. En las ciudades hay más trabajo. Hay más estrés. → ....
6. Es una ciudad incómoda. Es peligrosa. → ....
7. Tiene mucha contaminación. Tiene muchas zonas verdes. → ....
8. Es muy caótica. Me encanta la gente. → ....

4 Localiza y corrige los errores de estas frases.

1. • La vida en los pueblos es más aburrida.
   ○ Estoy de acuerdo con que dices. ....
   • Yo también estoy de acuerdo con tú. ....
2. • La vida en un pueblo es muy dura.
   ○ Estoy totalmente de acuerdo con usted. ....
   • Yo también estoy de acuerdo con lo dice. ....
3. No estoy de acuerdo con Madrid sea una ciudad acogedora.
   ....
4. Estoy de acuerdo con lo que Madrid es una ciudad alegre.
   ....

5 Completa las reacciones a las opiniones siguientes:

1. • Una ciudad ofrece más posibilidades.
   ○ Sí, ... acuerdo.
   • Yo no .... veo así.

2. • Es más fácil encontrar trabajo.
   ○ .... ser.

3. • Se gana más.
   ○ .... luego.

4. • Se trabaja menos.
   ○ Tienes ....
   • ¡............ va!

5. • Hay más diversiones.
   ○ Sí, es ....
   • .... supuesto.

6 Escribe las opiniones sobre la vida en una ciudad y en un pueblo con las palabras entre paréntesis.

En una ciudad...

1. ... *se vive mejor* (se, vivir, mejor)
2. .... (uno/a, tener, más posibilidad de encontrar trabajo)
3. .... (nunca, tú, sentirse, solo)
4. .... (se, vivir, más libremente)
5. .... (uno/a, comportarse, de manera diferente)

En un pueblo...

6. .... (se, vivir, más tranquilo)
7. .... (se, tener, más tiempo libre)
8. .... (uno/a, tener, más relación con la gente)
9. .... (uno/a, sentirse, más acompañado)
10. .... (TÚ, NECESITAR, MENOS DINERO)

7 Ahora escribe las opiniones contrarias.

1. Yo no creo que se viva mejor en una ciudad.
2. A mí no me parece que ....
3. No pienso que ....
4. No me parece que ....
5. No creo que ....
6. ....
7. ....
8. ....
9. ....
10. ....

8 ¿Qué medidas tomarías para mejorar la vida en las ciudades o en los pueblos? Escribe frases con los verbos y los sustantivos del recuadro.

• mejorar	• construir	• transporte público	• sanidad
• poner	• reducir	• hospitales	
• crear	• actividades culturales		• puestos de trabajo
• fábricas	• carreteras	• contaminación	

- *Yo construiría más viviendas nuevas en las ciudades.*
- ....
- ....
- ....
- ....
- ....
- ....

9 AUTOEVALUACIÓN

1. Piensa en cinco palabras o expresiones que hayas aprendido en esta unidad y escribe frases con ellas.
....
....
....
....
....
2. ¿Qué te ha parecido más difícil de esta lección? ¿Por qué?
....
....
....
3. ¿Qué vas a hacer para superar los problemas que has tenido? Coméntalo con tu profesor y tus compañeros.
....
....
....
....
....

TRES CIUDADES LLAMADAS SANTIAGO

10 Lee y averigua:

- ¿Cuál de las tres ciudades es la más antigua?
- ¿Cuáles son actualmente capitales?
- ¿Cuáles han sufrido terremotos?
- ¿Cuál tuvo un origen militar?
- ¿Cuál tuvo un origen religioso?

El descubrimiento de la tumba del apóstol Santiago en Galicia, a principios del siglo IX, fue el origen de la fundación de la primera ciudad a la que dio nombre el santo patrón de España, Santiago de Compostela. Tras el descubrimiento de América, el nombre cruzó el Atlántico y bautizó muchas ciudades del Nuevo Mundo, entre ellas Santiago de Cuba y Santiago de Chile.

Santiago de Compostela es la actual capital de la comunidad autónoma de Galicia, en el noroeste de España. Construida alrededor de la iglesia primitiva que albergaba el sepulcro del apóstol, es un ejemplo extraordinario de ciudad medieval en piedra, siendo la catedral una auténtica joya arquitectónica.

Catedral de Santiago de Compostela

Universidad de Santiago de Compostela

Santiago de Compostela es un gran centro religioso y universitario. Junto con Jerusalén y Roma, es uno de los lugares de peregrinación más importantes para los católicos. Durante siglos, peregrinos de todo el mundo han recorrido el Camino de Santiago partiendo desde diferentes puntos de Europa. Su universidad, fundada en 1504, es una de las más antiguas del mundo. Visitantes y estudiantes hacen de Santiago de Compostela una ciudad muy alegre y viva.

Latina

Santiago de Cuba, situada en la bahía de ese mismo nombre, es la segunda ciudad más grande de Cuba. Fundada en 1514, fue la capital de Cuba hasta 1589. Debido a los terremotos, comunes en esa zona, los más importantes edificios de la ciudad fueron construidos en madera, lo que le da un aspecto típicamente colonial. En 1898 tuvo lugar en su bahía una batalla naval entre la flota española y la de los Estados Unidos. La derrota de España supuso el fin del imperio colonial español en América.

Castillo del Morro de Santiago de Cuba

Palacio de la Moneda de Santiago de Chile

Santiago de Chile es la capital de la República de Chile. Está situada en el centro del país, en un valle entre la cordillera de la costa y los Andes. Fue fundada en 1541 por los españoles con una función militar. Debido a los continuos terremotos e incendios, Santiago de Chile ha perdido gran parte del legado arquitectónico de la época colonial. Actualmente es una ciudad moderna con más de 5 millones de habitantes y con los problemas típicos de las grandes urbes: crecimiento desordenado, falta de espacios verdes y barrios de chabolas.

11 ¿A qué hacen referencia las siguientes fechas?

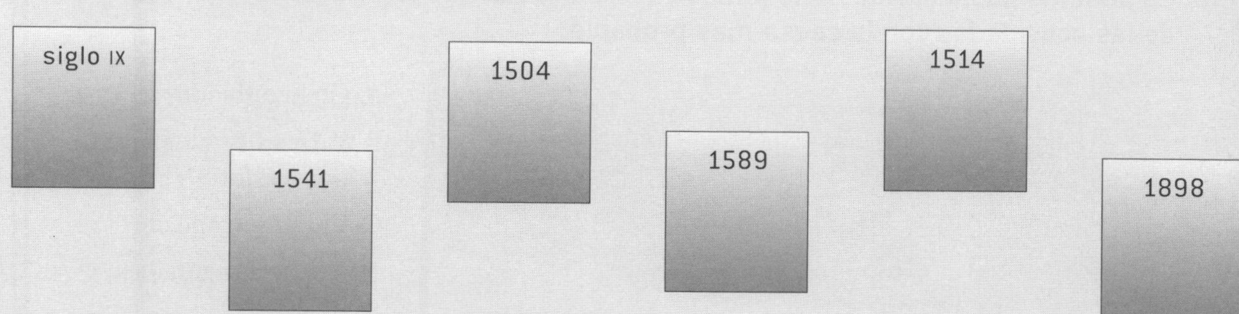

12 Prepara algunas preguntas sobre el texto. Luego házselas a un compañero. ¿Sabe las respuestas?

¿Dónde está Santiago de Compostela?

l e c c i ó n **10**

La columna

1 **Escribe cada respuesta en la línea correspondiente. Al final, podrás leer en la columna el nombre de un tipo de risa.**

1. Historia corta o dibujo creado para hacer reír.
2. Echarse sobre un lugar, en especial para dormir.
3. El sustantivo es *vergüenza*; el verbo ....
4. Emitir un sonido grave e intenso al respirar cuando se está dormido.
5. "Es una persona muy valiente: no se .... por nada."
6. Pretérito indefinido de *traducir* (vosotras).
7. Pretérito imperfecto de *reír* (nosotros).
8. Lo que se hace en contra de la ley; por ejemplo, un robo.
9. Hacer bromas.

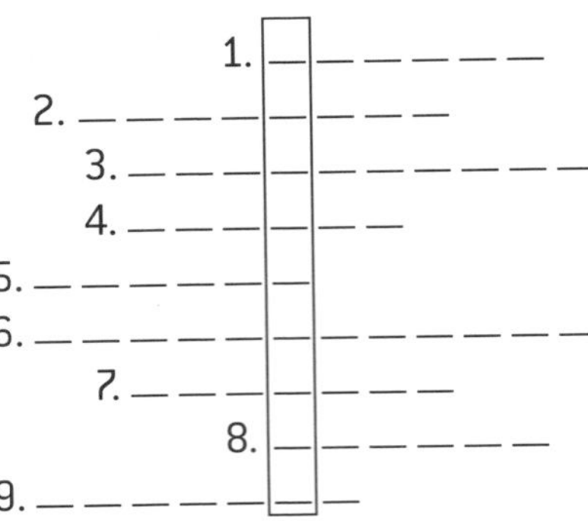

2 **a) Ahora elabora tú un ejercicio como el anterior para practicar la escritura y revisar el vocabulario y la gramática que has estudiado. Puedes seguir estos pasos:**

A. Escribe verticalmente la palabra de la columna (la del ejercicio 1 era el tipo de risa).
B. Escribe horizontalmente las palabras necesarias para descubrir la palabra de la columna.
C. Redacta las definiciones o las explicaciones de las palabras que has anotado en B.
D. Revisa lo que has redactado y pásalo a limpio.

b) Entrégale lo que has hecho al profesor para que lo supervise.

c) Pásale el ejercicio –sin las respuestas– a un compañero. Él/ella deberá escribirlas para descubrir cuál es la palabra de la columna.

¡Qué semana!

3 **a) La semana pasada, Rubén no pudo hacer las cosas que tenía previstas. Relaciona cada una de las actividades con la causa más probable.**

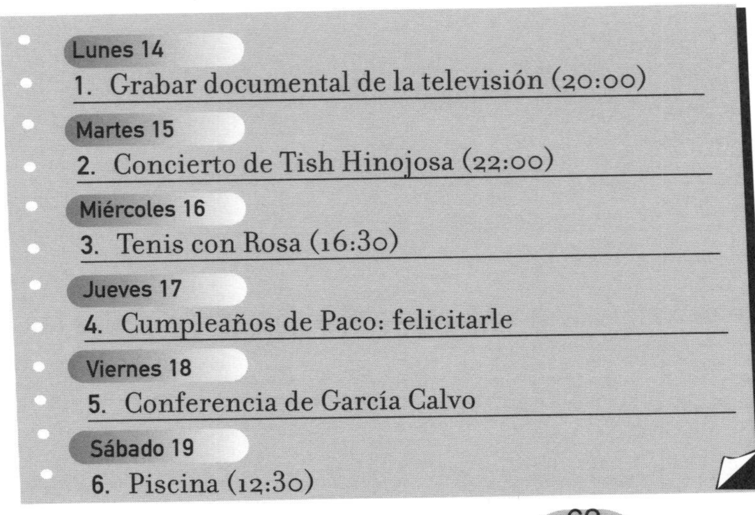

A. Cielo nublado; frío.
B. Varios intentos fallidos por teléfono.
C. Vídeo estropeado.
D. Entradas agotadas.
E. Pista ocupada.
F. Problemas en el trabajo: salió muy tarde.

1 - ; 2 - ; 3 - ; 4 - ; 5 - ; 6 -

b) Ahora expresa lo que quería hacer y por qué no lo hizo.

1. *El lunes quería..., pero no pudo porque...*
2. ....
3. ....
4. ....
5. ....
6. ....

4 a) Completa las frases con formas verbales en pasado.

1
- • O sea, que el año pasado .... (estar, usted) cuatro veces en Guatemala.
- ○ Pues sí, pero .... (ir, yo) por cuestiones de trabajo, no de vacaciones.

2
- • ¿Qué tal el viernes en la fiesta de cumpleaños de Begoña?
- ○ ¡Ah! Muy bien. .... (haber) bastante gente y el ambiente .... (ser) buenísimo. Yo .... (bailar) mucho y me lo .... (pasar) muy bien.

3
- • ¡Ay, qué memoria más mala tengo! .... (ir, yo) a decirte una cosa y se me ha olvidado.
- ○ ¡Vaya!

4
- • ¿Y cómo te has enterado?
- ○ Me lo .... (decir) Lucas anoche. Me lo .... (encontrar, yo) en la calle cuando .... (volver, yo) a casa y me .... (contar) todo.

5
- • ¿Cómo no .... (venir, tú) ayer?
- ○ Es que .... (estar) estudiando toda la tarde.

6
- • El viaje que hicimos a Sevilla .... (ser) horrible: .... (haber) caravana y .... (durar, el viaje) más de cuatro horas.
- ○ ¡Vaya!

7
- • ¿Ya conoces los resultados de los exámenes?
- ○ No, todavía no .... (salir) las notas.

8
- • Entonces, ¿perdisteis el tren?
- ○ Sí, cuando .... (llegar, nosotros) a la estación ya .... (salir, el tren): es que .... (ser) las tres y cinco ya.

9
- • Tengo la impresión de que Victoria está enfadada conmigo.
- ○ ¿Por qué lo dices?
- • Pues porque antes, siempre que me .... (ver, ella), se .... (alegrar, ella) mucho. En cambio, ayer parecía que .... (estar, ella) molesta y casi no .... (hablar, ella).

10
- • ¿Sabes una cosa? Esta mañana, cuando .... (sonar) el despertador, ... (soñar, yo) contigo.
- ○ ¡Anda! ¡Cuenta, cuenta!

b) Ahora corrígelas consultando el solucionario. Si tienes alguna duda, puedes comentarla con el profesor. Luego escribe otras frases incompletas sobre el pasado. No te olvides de presentar un contexto claro en cada caso.

- *El lunes, en clase, David .... (decir, él) ......*
- ....
- ....
- ....

c) Pásaselas a un compañero para que las complete, y completa tú las suyas.

Una anécdota

5 a) ¿Imperfecto o indefinido? Subraya la forma verbal adecuada.

Ayer, cuando (volvía/volví) a casa me (encontraba/encontré) muy cansada. Al llegar a la puerta, (introducía/introduje) la llave en la cerradura, pero no (conseguía/conseguí) abrir. Lo (intentaba/intenté) varias veces más; ya (creía/creí) que la cerradura (estaba/estuvo) rota y (estaba/estuve) empezando a ponerme nerviosa, cuando (oía/oí) a mi vecino preguntar al otro lado de la puerta: "¿Quién es?" Entonces...

b) ¿Cómo crees que continuó esa anécdota? Escríbelo. Puedes utilizar, entre otros, estos verbos y expresiones.

darse cuenta	sentir mucha vergüenza	equivocarse
aceptar las disculpas	ponerse roja	disculparse

....

....

....

....

Una inocentada

6 a) Lee el relato de esta inocentada incompleta y subraya la forma verbal adecuada en cada caso.

Un día (fui/iba) por la calle y (vi/veía) un billete de veinte euros en el suelo. Lo primero que se me (ocurrió/había ocurrido) fue que lo (perdió/había perdido) alguien y, tras unos segundos de duda, **1** .... Me (agachaba/agaché) y, cuando ya (tenía/había tenido) la mano muy cerca de él, **2** .... "¡Qué raro!: si no hace nada de viento", pensé. Lo (intentaba/intenté) otra vez y **3** ...., así que continué persiguiéndolo hasta que (oía/oí) unas risas, (había/hubo) dos niñas tirando de un hilo atado al billete y (estaban/estuvieron) riéndose de mí. Al descubrirlas me dijeron que (era/fue) el día de los Santos Inocentes **4** ....

b) Completa el texto con las informaciones que creas que faltan.

1. ....

2. ....

3. ....

4. ....

c) Compara esas informaciones con las del solucionario. ¿Coinciden?

Pronunciación

7 a) Piensa en una broma que hayas hecho o te hayan hecho alguna vez, o en una anécdota que te haya ocurrido alguna vez. Si no recuerdas ninguna, puedes elegir una con la que hayas trabajado en la lección 10 del libro del alumno. Luego prepara lo que vas a decir y practica:

- Las palabras que consideres más difíciles de pronunciar.
- Las frases que te parezcan más difíciles de entonar.

b) Cuéntale la broma a alguien (graba la conversación).

c) Escucha la grabación. Fíjate, sobre todo, en tu pronunciación y entonación. ¿Crees que puedes mejorar algo? En caso afirmativo, decide cómo vas a intentarlo.

d) Si lo deseas, puedes grabarte de nuevo dentro de unos meses y comparar esa grabación con la realizada en el apartado b) para comprobar si has hecho progresos.

8 Autoevaluación

1. Escribe frases con las palabras más difíciles que hayas aprendido en esta lección.

....

....

....

....

....

2. ¿Qué usos de los tiempos del pasado te resultan más complicados? Escribe frases con ellos.

....

....

....

....

....

3. ¿Qué actividad de esta lección te ha parecido más útil? ¿Por qué?

....

....

....

4. ¿En qué crees que debes mejorar? ¿Qué vas a hacer para conseguirlo?

....

....

....

EL NOMBRE DE AMÉRICA

9 a) ¿Sabes por qué América recibe ese nombre? Lee este texto incompleto y compruébalo. Puedes utilizar el diccionario.

El nombre del continente americano proviene del de Américo Vespucio (1454-1512), un navegante florentino que .... (realizar) varios viajes de exploración a las Indias y .... (llegar) a dibujar cartas y mapas de los nuevos territorios y a dar el nombre de Colombia, en honor de Colón, a las tierras en que .... (desembarcar). Al principio creyó que .... (ser) el extremo oriental de Asia. Sin embargo, sus cálculos posteriores le .... (llevar) al convencimiento de que .... (estar) mucho más allá del fin del mundo señalado por Tolomeo, por eso parece que fue la primera persona que se .... (dar) cuenta de que se trataba de un nuevo continente.

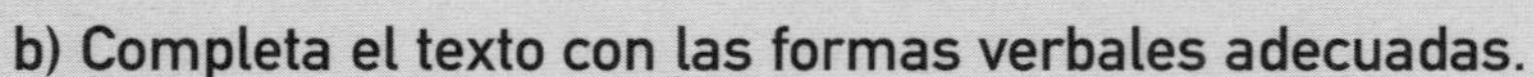

b) Completa el texto con las formas verbales adecuadas.

c) Responde a las preguntas.

- ¿Américo Vespucio era español?

....

- ¿Qué nombre le parecía más apropiado para el Nuevo Mundo? ¿Por qué?

....

Por aquella época, en 1507, el cosmógrafo Martin Waldseemüller (1475-1521) .... (escribir) una introducción a los libros de Tolomeo. Al tener noticia de las afirmaciones de Américo Vespucio, ... (introducir) el nombre de América en el planisferio que acompañaba a dicha obra y se lo .... (adjudicar) al nuevo continente. Esa denominación .... (ser) aceptada por los científicos y se .... (convertir) en el nombre oficial del Nuevo Mundo, a pesar de que el propio cosmógrafo alemán .... (intentar) aclarar su errónea atribución.

Fuente: GREGORIO DOVAL: *Enciclopedia de las curiosidades*

- ¿Por qué pensó que los lugares a los que había llegado estaban en un nuevo continente?

....

- ¿Quién crees que fue Tolomeo?

....

- ¿Cómo llegó a la comunidad científica el nombre de "América" para referirse a los nuevos territorios?

....

lección 11

Vocabulario

1 a) Busca el intruso y justifícalo.

1. Ajedrez, taquilla, patinaje, bricolaje, submarinismo.
2. Melodrama, policíaca, comedia, óleo, musical.
3. Insoportable, superficial, harta, profunda, emotiva.
4. Escena, largometraje, escenario, meta.
6. Trompeta, corrido, salsa, rumba, tango.

	INTRUSO	¿POR QUÉ?
1		
2		
3		
4		
5		

b) Ahora prepara otro ejercicio de "busca el intruso". Puedes utilizar palabras de la lección 11 del libro del alumno y otras que hayas aprendido anteriormente.

1. ....
2. ....
3. ....
4. ....
5. ....

c) Pásaselo a un compañero/a para que busque el intruso de cada línea y lo justifique. Haz tú lo mismo con su ejercicio.

2 a) Copia las diez formas verbales en presente de subjuntivo que hay en el cuadro.

digan viene volvamos cierres vamos
recomendemos conduzca sirves traigo
penséis pierden parezcan dice pidamos
cuento construimos encuentres
producimos distribuya
duermen

1. digan
2. ....
3. ....
4. ....
5. ....
6. ....
7. ....
8. ....
9. ....
10. ....

b) Copia las que hay en presente de indicativo. Luego escribe en la misma persona gramatical la forma correspondiente en presente de subjuntivo.

	PRESENTE DE INDICATIVO	PRESENTE DE SUBJUNTIVO
1		
2		
3		
4		
5		
6		
8		
9		
10		
11		

3 a) Completa el chiste con estas palabras:

lo	pongo	traigáis	es	invitaros

EL PERICH

b) ¿Qué pensarías y cómo crees que reaccionarías si un anfitrión te dijera eso? Escríbelo.

....

....

....

....

4 a) Lee estas frases. Luego busca cinco errores y corrígelos.

- ¿Ya has pensado lo que podamos hacer esta noche?
- ○ ....
- ¡Ah! Pues tenemos que ir. ¿A qué hora están?
- ○ ....
- ¿Tú cuál de dos prefieres?
- ○ ....
- Mejor al de las diez, así luego tenemos tiempo por tomar una copa, ¿no?
- ○ ....
- Como quieres... Oye, estaba pensando que podríamos invitar a Pilar, a ella le encanta Antonio Serrano.
- ○ ....

b) Completa el diálogo anterior con estas frases.

- Hay dos pases: uno a las diez y otro a la una.
- ¡Ah, claro! Y seguro que va. Voy a llamarla para decírselo.
- Vale. Muy bien. Y una cosa: propongo que tomemos un taxi; es que aparcar por allí un sábado a esa hora es imposible.
- Sí, mira, he leído en el periódico que hay dos actuaciones de Antonio Serrano en el café Populart.
- Me da igual, pero vamos al que quieras tú.

5 Responde cediendo la decisión al interlocutor.

1. • Bueno, entonces, ¿en qué hotel nos alojamos: en el de la playa o en el otro?
   ○ Pues no sé... en el que quieras.
2. • ¿Cuándo hacemos la reserva: esta tarde o mañana?
   ○ ....
3. • ¿Y qué le digo cuando me lo pregunte?
   ○ ....
4. • Entonces, ¿por dónde vamos: por la plaza o por la estación?
   ○ ....
5. • A mí me han hablado muy bien de estas dos exposiciones. ¿A cuál de ellas vamos?
   ○ ....
6. • Y luego ¿cómo volvemos: en tren o en avión?
   ○ ....
7. • ¿Y a quién de mi trabajo invitamos?
   ○ ....
8. • Entonces, ¿qué guantes le regalamos: los negros o los marrones?
   ○ ....

El cine

6 **Lee este texto sobre los comienzos del cine y escribe las respuestas a las preguntas.**

LA PRIMERA SESIÓN

Día 28 de diciembre de 1895. En el salón indio del Gran Café, de París, los treinta y tres invitados de los hermanos Lumière asisten a un espectáculo extraordinario. Sobre una pequeña pantalla se proyecta una fotografía que, de pronto, ¡se pone en movimiento! Los coches, caballos y peatones cobran vida repentinamente, mostrando la actividad de la calle. "Nos quedamos boquiabiertos", declaró posteriormente alguno de los asistentes. Este invento pronto atrajo a las masas y dio la vuelta al mundo. En mayo de 1896 llegó a España, de la mano de un empleado de la casa Lumière; en junio, al continente americano, y en julio, a Rusia. Acababa de empezar la gran aventura del cine.

"Érase una vez el cine" (Ediciones SM)

1. ¿En qué país se inventó el cine?
   ....
2. ¿Qué se veía en las primeras secuencias que se proyectaron en la historia del cine?
   ....
3. ¿Cómo reaccionaron las personas que asistieron a esa primera sesión?
   ....
4. ¿Tardó mucho tiempo el cine en ser aceptado por el público en general?
   ....

7 **Y tú, ¿te acuerdas de la primera vez que fuiste al cine o de una de las primeras veces? Escribe todo lo que recuerdes: a qué cine fuiste, con quién, qué tipo de película viste, etc.**

....

....

8 **Piensa en una película que te haya gustado mucho y escribe sobre ella. Puedes describirla, valorarla, contar el argumento, etc.**

9 **AUTOEVALUACIÓN**

1. **Selecciona cinco palabras, expresiones o estructuras que hayas aprendido en esta lección y escribe una frase con cada una de ellas.**
   ....
   ....
   ....
   ....
   ....
2. **¿Te ha parecido especialmente útil alguna actividad de esta lección? Explica por qué.**
   ....
   ....
3. **Piensa en lo que has hecho en la lección 11 (libro del alumno y cuaderno de ejercicios). ¿En qué crees que debes mejorar? Escríbelo y explica lo que vas a hacer para conseguirlo.**
   ....
   ....

¿EN QUÉ GASTAN EL DINERO LOS ESPAÑOLES?

10 a) ¿Verdadero o falso? Señala las respuestas que consideres apropiadas en la columna de la izquierda.

V	F		V	F
		Los españoles gastan más dinero en alimentación que en vivienda.		
		Cada vez gastan más dinero en su tiempo libre.		
		Ahorran más que antes.		
		El porcentaje de ingresos que gastan los pobres es más alto que el que gastan los ricos.		

b) Lee el texto y observa la tabla de la página siguiente. Luego, señala la columna de la derecha.

Los españoles gastan más de una cuarta parte de sus ingresos en vivienda (el 26,92 %). La costumbre tan arraigada en España de adquirir la casa que se habita es la principal causa de ello.

A la compra de los alimentos que se consumen en casa se destina el 19,25 %, y el 9,34 se destina a hoteles, cafés y restaurantes. El desembolso que hacen en ocio, espectáculos y cultura ha aumentado mucho con respecto a décadas anteriores: cada vez salen más y consumen más productos culturales. Por el contrario, cada vez ahorran menos; a principios de los setenta guardaban el 13,40 % de lo que ganaban, mientras que ahora no pasan del 10,50 %.

Otro cambio que se está produciendo en los hábitos de consumo de los españoles consiste en que la diferencia de gasto entre las clases altas y las bajas se está reduciendo; el motivo es que los grupos de menor renta gastan una mayor proporción de sus ingresos.

Fuentes: Instituto Nacional del Consumo y *El País*.

PORCENTAJE DEL GASTO EN ESPAÑA EN 1998

	Porcentaje %
Alimentos y bebidas no alcohólicas	19,25
Bebidas alcohólicas, tabaco y narcóticos	2,71
Artículos de vestir y calzado	7,28
Vivienda, agua, electricidad, gas y otros combustibles	26,92
Mobiliario, equipamiento del hogar, conservación de la vivienda	4,87
Salud	2,42
Transportes	12,40
Comunicaciones	1,94
Ocio, espectáculos y cultura	6,14
Enseñanza	1,51
Hoteles, cafés y restaurantes	9,34
Otros bienes y servicios	5,22

c) ¿Cuáles son los tres apartados del gráfico en los que crees que tú gastas más? Escríbelos.

1. .... 2. .... 3. ....

d) ¿Piensas que existen diferencias entre el gasto en tu país y en España? En caso afirmativo, explícalas.

....

....

....

....

lección 12

Vocabulario

1 **a) Añade las vocales necesarias para formar palabras que aparecen en la lección 12 del libro del alumno.**

1. _ s _ _ n t _	→ *asiento*	8. p r _ p _ n _	→
2. r _ s t r _	→	9. p _ s t _ r _	→
3. g _ s t _ c _ l _ r	→	10. _ p l _ _ s _	→
4. p _ l m _	→	11. r _ d _ _ r	→
5. c _ j _ s	→	12. _ n c l _ n _ r	→
6. d _ b l _ r	→	13. _ m p _ n t _ _ l _ d _ d	→
7. _ x c _ s _ s	→	14. _ b r _ z _	→

b) Trata de formar expresiones con algunas de esas palabras.

Ceder el asiento, ...

....

2 **Relaciona cada gesto o saludo con su descripción y significado.**

A. Apoyar verticalmente el dedo índice en los labios es un signo universal que significa "cállate" o "guarda el secreto".
B. Colocar ese dedo en esa posición es un gesto amistoso, un signo de aprobación o de que todo va bien.
C. Este gesto indio norteamericano significa belleza. Combina los signos de "bueno" y "aspecto".
D. Es una forma de saludar extendida por todo el mundo.
E. Saludo propio del Extremo Oriente que consiste en mover educadamente la cabeza y el cuerpo hacia abajo en señal de reverencia o respeto.
F. Levantar los dedos índice y corazón formando esa letra permite expresar la idea de triunfo.

1 - E; 2 - ; 3 - ; 4 - ; 5 - ; 6 -

3 Piensa en cosas que se expresan con gestos diferentes en tu cultura y en España o Latinoamérica. Escribe cada uno de ellos y su significado.

....

....

....

....

....

4 a) Lee este texto y asegúrate de que lo entiendes.

LÓPEZ.—Yo he vivido un año entero en Madrid. Verá usted, era un 1925 y...
PÉREZ.—¿En Madrid? Pues precisamente le decía yo ayer al doctor García...
LÓPEZ.—De 1925 a 1926, en que fui profesor de Literatura en la Universidad.
PÉREZ.—Le decía yo: "Hombre, todo el que haya vivido en Madrid sabe lo que es eso".
LÓPEZ.—Una cátedra especialmente creada para mí para que pudiera dictar mis cursos de Literatura.
PÉREZ.—Exacto, exacto. Pues ayer mismo le decía yo al doctor García, que es muy amigo mío...
LÓPEZ.—Y claro, cuando se ha vivido allí más de un año, uno sabe muy bien que el nivel de los estudios deja mucho que desear.
PÉREZ.—Es un hijo de Paco García, que fue ministro de Comercio, y que criaba toros.
LÓPEZ.—Una vergüenza, créame usted, una verdadera vergüenza.
PÉREZ.—Sí, hombre, ni qué hablar. Pues este doctor García...

JULIO CORTÁZAR: *Rayuela*

b) ¿Qué comportamiento se atribuye en el texto a los españoles?

....

....

c) ¿Has conocido a algunos españoles que actúan así? En caso afirmativo, ¿cómo te has sentido y cómo has reaccionado cuando han hecho eso contigo?

....

....

d) Y tú, ¿te comportas de esa forma cuando utilizas tu lengua? ¿Cómo puede afectar eso a la actitud de tu interlocutor y a la comunicación?

....

....

Sopa de letras

5 a) Busca siete formas verbales en presente de indicativo y otras siete en presente de subjuntivo.

M	L	R	I	A	S	T	V	U	Q	C
U	Ñ	I	C	V	M	U	E	V	A	N
R	E	B	N	T	A	D	S	Y	P	T
E	C	A	M	F	J	O	B	G	R	P
P	O	R	A	H	L	Y	O	W	E	O
I	M	T	R	A	D	U	C	E	F	N
T	I	D	C	P	O	X	Y	K	E	G
A	E	S	A	R	Ñ	E	K	A	R	A
M	N	J	U	G	A	I	S	Z	I	M
O	C	X	D	O	I	G	A	N	S	S
S	E	N	T	I	M	O	S	A	I	T

b) Copia las formas en presente de indicativo y pásalas al presente de subjuntivo utilizando la misma persona gramatical.

	PRESENTE DE INDICATIVO	PRESENTE DE SUBJUNTIVO
1		
2		
3		
4		
5		
6		
7		

6 a) Piensa en algunos comportamientos y costumbres de los españoles o los latinoamericanos y completa estas frases expresando tu punto de vista sobre ellos.

1. Es lógico que ....
2. Me resulta muy curioso que ....
3. Me parece muy interesante que ....
4. Me llama la atención ....
5. No me gusta..............................
6. Me encanta..............................

b) ¿Puedes añadir otras frases?

....

....

c) Compáralas con las de un compañero/a y comprueba si coincidís en muchas cosas.

7 **a) Lee estos pares de frases y marca la que te parezca más formal de las dos.**

1
- A. ¡Qué sorpresa, hombre, tú por aquí!
- B. Francamente, no esperaba encontrarte aquí.

2
- A. Hacía mucho tiempo que no nos veíamos.
- B. Cuánto tiempo sin verte.

3
- A. ¿Y sabes algo de Teresa?
- B. ¿Y qué es de Teresa?

4
- A. Pásate un día por casa y charlamos un rato.
- B. ¿Por qué no vienes un día a mi casa y hablamos un rato?

5
- A. Entonces, la inauguración tendrá lugar el viernes, ¿verdad?
- B. Entonces, la inauguración será el viernes, ¿eh?

6
- A. Me pondré en contacto contigo para que me informes de los hechos.
- B. Te llamo luego y me lo cuentas, ¿vale?

7
- A. Espero tu respuesta. Un abrazo.
- B. A la espera de tus noticias aprovecho para saludarte cordialmente.

b) ¿Puedes escribir tú otros pares de frases? En caso afirmativo, escríbelos y pásaselos a un compañero/a para que decida cuál es la frase más formal en cada caso.

....

....

....

8 AUTOEVALUACIÓN

1. Piensa en palabras, expresiones o estructuras que hayas aprendido en esta lección y escribe frases con ellas.

....

....

....

....

....

2. Escribe alguna información que hayas descubierto en esta lección y que te parezca interesante.

....

....

....

3. ¿Te ha parecido especialmente útil alguna actividad de esta lección? ¿Por qué?

....

....

....

¿CÓMO VEN ESPAÑA LOS EXTRANJEROS?

9 a) Lee lo que opinan sobre España y los españoles algunos extranjeros que viven o han vivido en ese país.

Trata de deducir por el contexto el significado de:

- enchufe
- grupúsculo
- nefasto

OPINIONES SOBRE ESPAÑA

1. Lo mejor: "Los españoles son espontáneos, vitales, alegres y tienen mucho sentido del humor. Salen mucho en su tiempo libre –algunos pasan más tiempo fuera de casa que en ella– y les encanta estar con sus amigos. Les gusta vivir el momento y disfrutar de la vida. Y hay que reconocer que en este país hay cosas que ayudan a conseguirlo: un clima excelente, buenas playas, una oferta cultural y de tiempo libre muy variada..."

Lo peor: "Son un poco desorganizados y en algunos sitios podrían atender mejor al público y dar un servicio mejor. Además, el enchufe sigue siendo muy importante para encontrar trabajo y yo creo que, para mucha gente, es más importante que la cualificación profesional."

ULLA STOLZE, alemana

2. Lo mejor: "Los españoles son muy comunicativos, y eso les permite comprender mejor la realidad de los extranjeros. Salvo grupúsculos, son bastante integradores."

Lo peor: "Exageran. Cuando hay un brote racista, ya parece que en toda España hay un racismo exacerbado."

BEYUKI ABDEL HAMID, marroquí

4. Lo mejor: "Demuestran mucha calma, les gusta divertirse y se comportan como hermanos cuando consigues su amistad. En otros países, la relación amistosa entre personas de dos razas distintas es imposible".

Lo peor: "Son algo vagos, les cuesta un poco hacer las cosas. También son demasiado curiosos."

NICOLAY BRATOEV, búlgaro

Fuente: *El País*

3. Lo mejor: "Los españoles son muy receptivos a las ideas nuevas. Disponen de una gran creatividad, imaginación y poco miedo a los cambios."

Lo peor: "La improvisación. No organizan las cosas con la suficiente antelación, y aunque a veces pueda parecer divertido, en la mayoría de los casos resulta nefasto."

INGER BERGGREN, sueca

b) Comprueba con el diccionario el significado de las palabras de a).

c) ¿Estás de acuerdo con algo de lo que dicen esas personas? Escríbelo.

Estoy de acuerdo con Ulla porque..., pero no opino lo mismo que...

....

....

....

....

d) ¿Tienes tú otras opiniones positivas sobre España y los españoles? ¿Y negativas? Escríbelas.

....

....

....

....

....

....

Evaluación y repaso 3

1 Completa estas frases.

1 • ¿Y cómo fue?
○ Pues nada, ... (estar yo) leyendo el periódico en la terraza y, de repente, ... (empezar, yo) a notar un olor extraño...

2 Yo estoy completamente de acuerdo con .... que dice Yolanda; creo que .... muchísima razón.

3 Cuando la vimos, ... (estar, ella) enfadadísima y nos .... (contar, ella) lo que le había pasado.

4 • ¿A qué hora quedamos?
○ .... que .... (querer) tú. A mí me da igual una hora que otra.

5 La semana pasada .... (comer, yo) tres días con Jorge.

6 • ¿A ti no te parece útil que .... (hablar, nosotros) de eso?
○ Pues claro; yo pienso que es muy útil.

7 Yo no creo que esa obra de teatro .... (ser) tan mala como dicen; su director ha hecho siempre cosas bastante buenas.

8 En mi país .... muy mal visto preguntarle la edad a la gente.

9 • ¿Qué hacemos: cenamos fuera o damos una vuelta por ahí?
○ .... prefieras; hoy eliges tú.

10 • ¿Qué estabas haciendo?
○ Pues .... (ir, yo) a ver una película que está a punto de empezar en la tele.

11 Me encanta que en los bares te .... (poner, ellos) una tapa cuando pides una bebida.

12 • ¿Tú sabes .... qué va este libro?
○ No, no tengo .... idea.

13 No nos vimos porque, cuando .... (llegar, yo), él ya se .... (marchar).

14 • ¿Qué tal estuvo el viaje?
○ ¡Ah! Muy bien. .... (durar, el viaje) algo más .... dos horas y .... (ser, el viaje) muy agradable.

15 Es .... muy mala educación no escuchar .... quien te está hablando.

16 • ¿Te gusta .... de estos bolígrafos?
○ El negro me parece precioso.
• Pues toma, te .... doy.

2 Pídele al profesor que las corrija y, luego, analiza los errores cometidos.

3 Repasa los contenidos gramaticales que consideres conveniente.

17 • ¿Qué tal es esa película?
○ A mí me gustó mucho. .... muy bien hecha, y la historia .... muy original y actual a la vez.

18 • ¿Por dónde vamos: por Málaga o por Granada?
○ Por .... quieras; las dos carreteras están bien.

19 • Yo creo que .... come mejor en los pueblos que en las ciudades.
○ Desde luego; la gente come muchísimo mejor en los pueblos.

20 Yo estoy en contra de que .... (construir, ellos) más viviendas en esta zona porque ya hay demasiadas.

21 • ¿Te va bien que .... (ir, yo) a pasar unos días contigo en Navidades?
○ ¡Ay! Es una idea estupenda.

22 • ¿No había .... levantado cuando llegaste?
○ No, ya se habían acostado todos.

23 • ¿Y qué hiciste tú sola en el hotel? ¿No te aburriste?
○ ¡Huy! ¡Qué va! Mira, desde las cuatro hasta las seis .... (estar, yo) leyendo, luego .... (ver, yo) un documental en la televisión y, cuando acabó, ... (hacer, yo) una traducción que me .... (pedir, ellos). Después, como .... (tener, yo) un poco de hambre, ... (salir yo) a tomar algo.

24 • ¿Por qué hacéis natación?
○ Yo, porque es un deporte muy completo.
Δ Yo, ... afición; me gusta mucho.

25 • A mí me llama la atención que la gente .... (hablar) tan alto aquí. ¿A ti no?
○ Es que yo ya estoy acostumbrado.

26 La verdad es que después de oír eso, ... se siente bastante mal y prefiere olvidarse de todo.

27 • Es curioso que las tiendas .... (abrir) tan tarde, ¿verdad?
○ Bueno, depende...

28 • Yo estoy de acuerdo con lo .... que las ciudades serán cada vez más grandes.
○ ¡Ah! Pues yo no .... veo así.

29 Yo pienso que en ese tipo de situaciones se .... (hacer) cosas que no se .... (hacer) en circunstancias normales.

30 • ¿Sí? ¿Dígame?
○ ¡Hola, Felipe! ¿Qué tal?
• ¡Hombre, qué coincidencia! Precisamente .... (estar, yo) a punto de llamarte.

4 **Sustituye las frases del test en las que has cometido errores por otras correctas.**

5 **Si lo deseas, puedes escribir otras frases con contenidos que te parezcan difíciles y dárselas al profesor, junto con las del ejercicio 4, para que las corrija.**

Soluciones

lección 1

1. a)

Viajes	Biografías	Infancia	Utilidad de objetos
alojarse salir ir llegar	divorciarse jubilarse nacer morir	jugar castigar suspender aprobar	calcular encender peinarse pegar

b)
1 alojarse → alojamiento
2 salir → salida
3 ir → ida
4 llegar → llegada
5 divorciarse → divorcio
6 jubilarse → jubilación
7 nacer → nacimiento
8 morir → muerte
9 jugar → juego
10 castigar → castigo
11 suspender → suspenso
12 aprobar → aprobado
13 calcular → calculadora
14 encender → encendedor
15 peinarse → peine
16 pegar → pegamento

2. a)

Pretérito indefinido	Pretérito imperfecto
oyeron	oían
bebimos	bebíamos
quisiste	querías
vi	veía
sirvió	servía
creyeron	creían
estuvimos	estábamos
hablaste	hablabas
murieron	morían
salisteis	salíais
vinimos	veníamos
fui	iba
diste	dabas
trajo	traía

3. a)
1 ¿Desde cuándo conoces a tu profesor/a?
2 ¿Cuánto tiempo llevas estudiando en este centro?
3 ¿Desde cuándo hablas español?
4 ¿Qué es lo más difícil del español?
5 ¿Cuántas clases de español tienes por semana?
6 ¿Qué haces para aprender español fuera de clase?

4.

TODOS LOS DÍAS...	AQUEL DÍA...
... iban a la playa	... fueron al médico
... visitaban lugares de interés	... comieron poco
... salían por la noche	... prefirieron quedarse en el hotel
... hacían deporte	... se acostaron pronto
... leían bastante	... durmieron mucho
... tomaban el sol	

5.
1 ... cuando tenía quince años.
2 ... y tengo un recuerdo muy bueno.
3 ... porque me gustaba mucho la lengua, la profesora y lo que hacíamos.
4 ... y ellos me entendían a mí.
5 ... pero la pronunciación no se me daba muy bien.
6 ... el español no era tan complicado como decían algunos compañeros de clase.
7 En el viaje de fin de curso fuimos a España.
8 Muchas veces no comprendía todo lo que decían los españoles...
9 Recuerdo que cuando hablaba, me cansaba mucho...

7.
1 La primera gramática castellana se publicó hace más **de** 500 años.
2 Muchos **de** los idiomas y dialectos de la América precolombina han desaparecido.
3 En Hispanoamérica hay diez millones de personas **que** hablan idiomas o dialectos precolombinos.
4 La palabra *chocolate* es **de** origen americano.
5 El español tiene más verbos irregulares **que** mi lengua.
6 Todos **los** verbos del esperanto, una lengua artificial creada en 1887, son regulares.
7 Todas las lenguas **del** mundo tienen la letra *a*.

8. a) Palabras del texto que significan:
– rico: acaudalado
– aspecto: traza
– aunque: aun cuando
– diferente: dispar, distinto
– empezar a conversar: trabar conversación

DESCUBRE ESPAÑA Y AMÉRICA LATINA

11. b) El maíz se comenzó a cultivar en América.

c)
22-32 Se hace referencia al comienzo del cultivo del maíz en España.
15-21 Se expresa la importancia que tuvo el maíz en diferentes culturas precolombinas.
46-52 Se explica para qué se cultiva actualmente el maíz.
6-9 Se describen las primeras mazorcas de maíz.
33-37 Se mencionan los cereales más producidos hoy en día.

lección 2

1.

1. SINCERA
2. CAYERON
3. OPTIMISTA
4. ANTIPÁTICO
5. COLA
6. ALEGRE
7. ACTIVO
8. HICIMOS
9. TOLERANTE

Verbo: compartir

2. a)
1 Ayuda a sus amigos cuando lo necesitan.
2 Nunca habla mal de sus amigos.
3 Confía mucho en sus amigos.
4 Acompaña a sus amigos en los malos momentos.
5 Comparte muchas cosas con sus amigos.
6 Acepta a sus amigos como son.

3. b)
– Todos los chicos son **iguales**.
• ¿Por qué dices eso?
– Las primeras veces que salen contigo son majísimos y muy cariñosos, te tratan **estupendamente**, te regalan **cosas**, te llevan a casa, pero luego...
• ¿Luego qué **hacen**?
– Todos quieren que les hagas los trabajos que nos piden en el **instituto**.

4. b)
A - 7, 5
B - 2
C - 6

5. **Posibles respuestas:**
1 Lucas estaba bebiendo agua de la fuente.
2 Mercedes estaba escuchando música.
3 Luciano estaba durmiendo.
4 Alfonso se estaba quitando el jersey.
5 Graciela estaba corriendo detrás de un pájaro.
6 Rosana estaba haciendo ejercicio.
7 Concha estaba leyendo.
8 Gonzalo se estaba peinando.

6. Pues yo conocí a mi novia en Santiago de Chile, en unas vacaciones. Un día fui a visitar el Palacio de la Moneda y cuando **estaba** observando la fachada, dos chicas me **preguntaron** si podía hacerles una foto. Se la **hice** y luego les **pedí** una foto con ellas (nos la **hizo** una persona que en ese momento pasaba por allí). Descubrimos que los tres **éramos** de Zaragoza y, como **teníamos** hambre, fuimos a comer juntos. Las dos me **cayeron** estupendamente, pero vi que una de ellas, Lucía, **tenía** muchas cosas en común conmigo y noté que **había** algo entre los dos, que los dos **sentíamos** algo. Cuando nos despedimos, nos **intercambiamos** los teléfonos de los hoteles en los que estábamos. Al día siguiente me **desperté** pensando en ella. Como **tenía** muchas ganas de verla, la **llamé** después del desayuno. Nos **vimos** aquella misma mañana y continuamos las vacaciones juntos. ¡Ah! Santiago es una ciudad preciosa, me **encantó**.

7.
1 Como querían salir las dos en la foto, me preguntaron si se la podía hacer.
2 Fui solo al Palacio de la Moneda porque mi amigo fue a ver a unos familiares.
3 Como estábamos en Chile, tomamos comida chilena.
4 Por la noche no estuve con las chicas porque tenía una cita con mi amigo.
5 Como no tenía mucha hambre, desayuné poco.
6 Como queríamos estar juntos, quedamos esa misma mañana.
7 Lucía y su amiga regresaron a Zaragoza la semana siguiente porque tenían que trabajar.
8 Como estaba enamorado, volví muy contento a casa... ¡y al trabajo!

DESCUBRE ESPAÑA Y AMÉRICA LATINA

10. c) **Posibles respuestas:**
– 240: la comunidad de los indios záparas ecuatorianos vive a 240 kilómetros al sur de Quito.
– 170: está formada por 170 personas.
– 200 000: a principios del siglo XX existían unos 200 000 indios záparas.
– 1941: en 1941, cuando terminó la guerra entre Ecuador y el Perú, estos países crearon una nueva frontera. Una parte del pueblo zápara quedó en territorio ecuatoriano y la otra, en territorio peruano.
– 1998: ese año se fundó una asociación de defensa del pueblo y la cultura záparas.

lección 3

1. 1. Río. 2. Lago. 3. Océano. 4. Desierto. 5. Ciudad. 6. Selva. 7. Valle. 8. Cataratas. 9. Castillo. 10. Ruinas.

3.

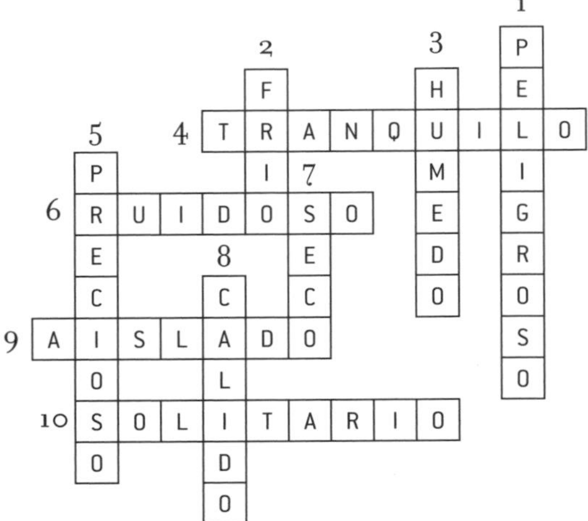

4. 1 El Mont Blanc es la segunda montaña más alta de Europa.
2 Brasil es el país más poblado de Latinoamérica.
3 El Sahara es el desierto más grande del mundo.
4 El Titicaca es el lago navegable más alto del mundo.
5 El desierto de Atacama es el más seco del mundo.
6 El español es el tercer idioma más hablado del mundo.
7 El Salvador es el país más pequeño de Latinoamérica.

6. **¿Has estado** (estar) alguna vez en América del Sur?
*Sí, **estuve** hace muchos años en Perú y Bolivia. **Fui** un verano con unos amigos.*
¿Qué zonas **visitasteis**?
***Empezamos** el viaje en Lima. **Viajamos** por los Andes hasta Cuzco y luego **seguimos** hasta La Paz.*
¿Cuánto tiempo **estuvisteis?**
*Unas cuatro semanas. **Estuvimos** tres semanas en Perú y una en Bolivia.*
¿Fuisteis a Machu Picchu?
*Naturalmente. El emplazamiento es impresionante. **Subimos** a pie hasta la cima. Las vistas **eran** preciosas.*
¿Fue muy caro el viaje?
*No. Normalmente **comíamos** en restaurantes muy baratos y **dormíamos** en pensiones en lugar de hoteles. Una vez **dormimos** al aire libre. **Hacía** muy buen tiempo.*
¿Y cómo **viajabais**?
*Como podíamos. Unas veces **viajábamos** en tren, otras en camionetas... Y tú, ¿**has estado** en algún país latinoamericano?*
No, yo sólo **he viajado** por Europa. No **he tenido** nunca la oportunidad de cruzar el Atlántico. Quizá el año que viene.

7. 1 ¿**Cuál** es el río más largo del mundo?
2 ¿**Qué** país tiene frontera con Colombia y Costa Rica?
3 ¿En **qué** ciudad está el Pan de Azúcar?
4 ¿Por **qué** países pasan los Andes?
5 ¿**Cuál** de estas ciudades está en Chile: Valparaíso o Mendoza?
6 ¿**Cuál** es el desierto más grande de América del Sur?
7 ¿**Qué** país latinoamericano produce cobre?
8 ¿En **cuál** de estas islas se habla español: en Jamaica o en Santo Domingo?
9 ¿**Qué** provincias españolas tienen frontera con Portugal?
10 ¿**Cuál** es la ciudad más poblada de Argentina?

8. a) 1 ¿Qué capital de Europa es la más alta?
2 ¿Por cuál de estas ciudades pasa el Ebro?
3 ¿Qué ciudad de Brasil tiene más habitantes?
4 ¿En qué país latinoamericano se produce más petróleo?
5 ¿En cuál de estos países está Cancún?
6 ¿Con qué países tiene frontera Uruguay?

b) 1 Madrid
2 Zaragoza
3 São Paulo
4 México
5 México
6 con Argentina y Brasil

DESCUBRE ESPAÑA Y AMÉRICA LATINA

10. a) Frases verdaderas:
- Venezuela significa "pequeña Venecia".
- Simón Bolívar, el Libertador, era venezolano.
- La población venezolana es mayoritariamente blanca.

11. Posibles respuestas:
1498: Cristóbal Colón llegó a Venezuela.
1567: Se fundó Caracas.
1811: Simón Bolívar participó en la declaración de independencia de Venezuela.
1823: Simón Bolívar derrotó al ejército español en la batalla del Lago de Maracaibo.

lección 4

1. a)
1 paro
2 sacarse
3 dejar
4 premio
5 trasladarse
6 caer
7 ganas

b)
1 Estar en paro.
2 Sacarse el carné de conducir.
3 Dejar un trabajo.
4 Ganar un premio.
5 Trasladarse a otra ciudad.
6 Caer mal (a alguien).
7 Tener ganas (de hacer algo).

3. a)
1 ¿Qué es **de** tu vida?
2 ¡Cómo me alegro **de** verte!
4 ¡Hombre, qué sorpresa!, ¡tú **por** aquí!
5 ¡Cuánto tiempo **sin** vernos!
7 Si te digo la verdad, estoy harta **de** trabajar en esa oficina.
8 Tengo muchísimas ganas **de** irme de vacaciones.

b) **Posibles emparejamientos:**
1-E; 2-G; 3-A; 4-B; 5-H; 6-C; 7-F; 8-D.

4. a)
1 Oye, ¿qué tal te va todo?
2 ¿Y qué sabes de Ricardo?
3 ¿Sabes que he encontrado un trabajo buenísimo?
4 ¡Qué casualidad!, ¡tú por aquí!
5 ¿Sabes desde cuándo no nos veíamos?
6 Ya conoces a Gerardo, ¿verdad?
7 Creo que Rebeca está todavía en paro.
8 Oye, ¿por qué no vienes un día a casa y hablamos?

5. b) –¡Pero hombre, Rubén! ¡Cuánto tiempo sin verte!
• Mmm... Perdona, pero creo que no nos conocemos; no nos hemos visto nunca.
–¡Pues entonces hace más tiempo!

6.
1 Se casaron en 1997 y se separaron a los cuatro años.
2 Te llamaré dentro de media hora.
3 Me saqué el carné de conducir en febrero y a las tres semanas tuve un accidente.
4 Nos vemos dentro de dos horas, ¿no?
5 Empezó a trabajar a los cinco meses de terminar la carrera.
6 Nos conocimos a la semana de llegar a Madrid.

7. a)
1 Para mí no es difícil conducir: me saqué el carné **en** tres semanas.
2 Yo me acuesto todos los días **entre** las once y las doce de la noche.
3 Empecé a estudiar inglés **a** los seis años.
4 Hablo español **desde** que empecé a estudiarlo.
5 **En/para** Navidades iré a ver a mis padres.
6 Todos los años tengo vacaciones desde julio **hasta** septiembre.
7 Rafael y yo empezamos a salir juntos **a** las pocas semanas de conocernos.
8 Vivo aquí **desde** hace más de dos años.

8. b) Orden: A, D, C, G, B, E, F.

DESCUBRE ESPAÑA Y AMÉRICA LATINA

11. c)
1 En el Perú.
2 La cultura nazca.
3 Entre los años 300 a.C. y 1000 d.C.
4 Una superficie de 750 Km^2 (50 km de largo por 15 de ancho).
5 Un calendario astronómico.

d) Pájaro, lagarto, pelícano, cóndor, mono, araña.

repaso 1

1.
1 hace
2 estaba, acosté
3 qué
4 por
5 estudiando
6 que, cuando/si
7 una, más
8 subí, tenía
9 lo, del
10 nos, éramos
11 cuál
12 de
13 estudié, aprendí, era
14 estaba estudiando, llamó
15 alguna, estuve, gustó, encantó
16 había sacado
17 acostaba, quedé, acosté
18 nos hicimos
19 cuáles
20 sin
21 os, nos
22 llegué, había
23 por
24 a, de
25 cayó
26 que
27 le pareció
28 se, se me
29 de, saliendo, dentro
30 debe, tiene

lección 5

1. c) Pobreza, cobarde, riesgo, cántaro, luna de miel, espejo, higiene, gallina, crudo, ecuador, harto.

2. optimista-pesimista
trabajador-vago
abierto-cerrado
seguro-inseguro
triste-alegre
solidario-insolidario
sincero-falso
responsable-irresponsable
sensible-insensible
tranquilo-nervioso
reflexivo-impulsivo
generoso-egoísta
miedoso-valiente

3.

SINGULAR		PLURAL	
MASCULINO	FEMENINO	MASCULINO	FEMENINO
majo	maja	majos	majas
alegre	alegre	alegres	alegres
cariñoso	cariñosa	cariñosos	cariñosas
egoísta	egoísta	egoístas	egoístas
imaginativo	imaginativa	imaginativos	imaginativas
optimista	optimista	optimistas	optimistas
sensible	sensible	sensibles	sensibles
temperamental	temperamental	temperamentales	temperamentales
trabajador	trabajadora	trabajadores	trabajadoras

4.
1 bastante
2 nada
3 muy
4 poco
5 una
6 más bien
7 un poco
8 demasiado
9 muy
10 un poco

6. Posibles respuestas:
1 A mí **me cae fatal** el presidente de los Estados Unidos. Es muy agresivo.
2 **Yo me llevo muy bien** con mis vecinos. Son muy amables.
3 **Me llevo fatal** con mi hermano. Siempre estamos peleando.
4 **Me parezco mucho** a mi madre. Somos iguales.
5 A mis padres **les cae muy bien** la novia de mi hermano. Es mona y simpática. **Se llevan fenomenal** con ella.
6 A mi novio/a **le caen mal** mis amigos. No quiere salir con ellos.
7 Mi hermano y yo **no nos parecemos en nada**. Somos totalmente diferentes.
8 Juan **se lleva muy mal** con sus compañeros. Son bastante egoístas.
9 Alicia **se parece mucho** a su padre. Tienen el mismo carácter.
10 Alberto y Julián **se parecen**. Tienen las mismas ideas. Y además, **se llevan** muy bien.
11 Arturo y yo **nos llevamos fatal**. No podemos ni vernos.
12 Mis compañeros de trabajo **me caen muy bien**. Son muy colaboradores.

7.

DAR	PONER(SE)
miedo	contento
lástima	de buen/mal humor
vergüenza	nervioso
pena	rojo
risa	triste

8. Posibles respuestas:
1 Jesús es muy miedoso. **Le da miedo** volar.
2 Alberto es tímido. **Se pone rojo** cuando habla con una chica.
3 **Me pongo nervioso** cuando hablo en público. Me tiembla la voz y me equivoco.
4 Las injusticias **me ponen de mal humor**. Paso unos días como enfadado.
5 Todo el mundo **se pone contento** cuando recibe buenas noticias.
6 A Luisa **le da vergüenza** ir elegante. No está acostumbrada.
7 **Me da pena** ver a gente pidiendo en la calle.
8 **Me da risa** oír a un taxista decir que la gente no sabe conducir.

DESCUBRE ESPAÑA Y AMÉRICA LATINA

11. Frases verdaderas:
– En España hay cerca de 10 millones de jóvenes.
– Están poco politizados.
– Los jóvenes españoles son buenos hijos y amigos.
– Tienen muchos accidentes de coche.

lección 6

1. a) 1 fiestas patronales
2 gallina
3 valiente
4 boda
5 ternero
6 luna de miel
7 cuento de hadas
8 cerdo
9 pobreza
10 cobarde
11 pollo
12 bolsa

b) 1 gallina
2 caballo
3 serpiente
4 cerdo
5 oveja
6 tortuga
7 ternero
8 conejo
9 ratón
10 pollo

2. a)

1. L L E G U E
2. S E A M O S
3. R E C U E R D E
4. E M P I E C E N
5. S I G A
6. E L I J A N
7. S E P A M O S
8. T E N G A S
9. C O R R A
10. T O Q U E N
11. P U E D A
12. E S T É I S
13. C O N O Z C A S

(GARCÍA MÁRQUEZ)

b)

REGULARES	IRREGULARES			
	o → ue	i → ie	e → i	otras irregularidades
llegar	recordar	empezar	seguir	ser
correr	poder		elegir	saber
tocar				tener
				estar
				conocer

3. a)

/θ/	/k/
za	ca
ce	que
ci	qui
zo	co
zu	cu

b)

/x/	/g/
ja	ga
je, ge	gue
ji, gi	gui
jo	go
ju	gu

4. a) Título: "Dime qué edad tienes y te diré qué esperas de un hombre."

b) Posibles emparejamientos:
- Veinte años – "¡que sea divertido!"
- Treinta y cinco – "que sea soltero"
- Sesenta años – "¡que esté sano!"

5. a) 1 ¡Ojalá terminen todas las guerras que hay en el mundo!
2 Espero que produzcamos más energías alternativas.
3 Deseo que sea más fácil relacionarse con la gente.
4 Espero que pronto descubran un remedio para el sida.
5 ¡Ojalá vivamos mejor que ahora!
6 Deseo que todos los niños estén escolarizados.
7 ¡Ojalá que tengamos más tiempo libre!
8 Espero que la gente sea más tolerante.

6. Posibles deseos:
1 ¡Que te diviertas! / ¡Que te lo pases bien!
2 ¡Que apruebes! / ¡Que tengas suerte!
3 ¡Que sea un buen año!/¡Que sea mejor que el anterior!
4 ¡Que descanses!
5 ¡Que cumplas muchos años! / ¡Que pases un buen día con tus padres!
6 ¡Que te den el trabajo! / ¡Que tengas suerte!
7 ¡Que paséis un buen fin de semana!
8 ¡Que tengas un buen viaje!

7. Cuando **viva** en el Mediterráneo, me visitarán muchos amigos. Estarán conmigo en invierno, **hasta que** empiece la primavera. Yo también viajaré a otros sitios, pero **después de que** se vayan mis amigos...

DESCUBRE ESPAÑA Y AMÉRICA LATINA

10. a) 1 Sí.
2 Sí.
3 Una gran variedad de frutos, dulces y objetos.
4 Danzas, ceremonias y fuegos de artificio.

b) Posible título: El mexicano y las fiestas.

c) La foto n.° 4 ("El Día de los Muertos").

d) 1 La fiesta del Sol, de Cuzco (Perú).
2 Las fiestas de Moros y Cristianos, de Murcia (España).
3 El carnaval de Puerto Rico.
4 El Día de los Muertos (México).

lección 7

1.

											1				
					1	E	N	F	E	R	M	E	D	A	D
	2			3		4					E				
	D			C		F		2	M	E	D	I	C	O	
	I			O		U					I				
	E	3	A	L	I	M	E	N	T	A	C	I	O	N	
	T			E		A					I				
4	A	B	U	S	A	R			5		N			6	
		7		T					G		A			P	
		S	5	E	V	I	T	A	R	E	S	T	R	E	S
		A		R					A					S	
6	A	L	C	O	H	O	L		S					O	
		U		L					A						
		D							S						

2.

		TÚ	USTED	VOSOTROS/AS	USTEDES
descansar	afirmativo	descansa	descanse	descansad	descansen
	negativo	no descanses	no descanse	no descanséis	no descansen
consumir	afirmativo	consume	consuma	consumid	consuman
	negativo	no consumas	no consuma	no consumáis	no consuman
alimentarse	afirmativo	aliméntate	aliméntese	alimentaos	aliméntense
	negativo	no te alimentes	no se alimente	no os alimentéis	no se alimenten
dormir	afirmativo	duerme	duerma	dormid	duerman
	negativo	no duermas	no duerma	no durmáis	no duerman
hacer	afirmativo	haz	haga	haced	hagan
	negativo	no hagas	no haga	no hagáis	no hagan
tener	afirmativo	ten	tenga	tened	tengan
	negativo	no tengas	no tenga	no tengáis	no tengan
poner	afirmativo	pon	ponga	poned	pongan
	negativo	no pongas	no ponga	no pongáis	no pongan
ir	afirmativo	ve	vaya	id	vayan
	negativo	no vayas	no vaya	no vayáis	no vayan

3. Posibles respuestas:

1 **No abuses** del alcohol.
2 **Come** más verduras.
3 **Duerme** al menos ocho horas todos los días.
4 **No fumes**.
5 **Camina** al menos dos kilómetros todos los días.
6 **No tomes** muchas grasas animales.
7 **Haga** ejercicio físico todas las mañanas.
8 **No tome** mucha sal en las comidas.
9 **Tome** al menos dos litros de agua al día.
10 **No tome** mucho café.
11 **Hágase** una revisión médica todos los años.
12 **Siga** una dieta equilibrada.

5.

INFINITIVO	FUTURO	CONDICIONAL SIMPLE
hablar	hablaré	hablaría
comer	comeré	comería
vivir	viviré	viviría
hacer	haré	haría
venir	vendré	vendría
salir	saldré	saldría
decir	diré	diría
aceptar	aceptaré	aceptaría
beber	beberé	bebería
querer	querré	querría
poder	podré	podría
saber	sabré	sabría
poner	pondré	pondría

l e c c i ó n 7

6. 1. Duermo mal.
No deberías tomar bebidas excitantes.

2. No tengo ganas de comer.
Deberías tomar vitaminas.

3. Tengo estrés.
Yo que tú, me tomaría unos días de vacaciones.

4. Estoy engordando mucho.
Yo, en tu lugar, me haría un chequeo.

5. Me duele mucho la espalda.
Yo cambiaría de cama.

6. Estoy deprimido.
Deberías salir más.

7. No me gusta mi trabajo.
Yo que tú, buscaría otro.

8. 1. – Estoy engordando mucho.
• Ve al médico.
– **Ya** he ido, pero sigo **engordando**.
• Pues **haz** ejercicio físico.
– Ya **lo** hago, pero nada.

2. – Toso mucho.
• Yo dejaría de **fumar**.

3. – Estoy agotado. No sé qué **hacer**.
• Yo que **tú**, **iría** al médico.
– He ido y estoy tomando unas vitaminas.
• Yo seguiría **tomando** las vitaminas.

4. – No veo bien últimamente.
• **Deberías** ir a un oculista.
– Pero es que no quiero llevar gafas. Tú, ¿qué **harías**?
• Me operaría. Ahora es muy fácil.
– ¡Ah! Me **parece** una buena idea.

DESCUBRE ESPAÑA Y AMÉRICA LATINA

10. Frases verdaderas:
– Los argentinos gastan mucho en medicinas.
– Algunos medicamente son falsificados.

11. Medicina: medicamento
Enfermedad: dolencia

l e c c i ó n 8

1.

M	E	L	U	P	C	R	A	H	I	S
T	R	A	T	A	M	I	E	N	T	O
S	O	D	G	T	U	J	P	O	V	L
U	I	M	P	R	E	N	T	A	R	E
E	C	U	R	I	O	S	I	D	A	D
Ñ	I	J	B	A	N	K	E	F	O	A
O	P	E	R	S	U	A	D	I	R	D
S	A	G	Y	L	Ñ	H	U	Q	E	X
I	N	S	T	R	U	C	C	I	O	N
L	F	Z	C	N	T	W	R	A	I	T
O	S	U	F	A	I	P	E	L	D	U

2.

ESTILO DIRECTO	ESTILO INDIRECTO (Ayer...)
"Estoy un poco resfriada."	... dijo que estaba un poco resfriada.
"Tengo muchas ganas de irme de vacaciones."	... dijo que tenía muchas ganas de irse de vacaciones.
"Me he levantado muy pronto."	... dijo que se había levantado muy pronto.
"He estado en la piscina con Luis."	... dijo que había estado en la piscina con Luis.
"Fui a verla porque necesitaba hablar con alguien."	... dijo que había ido a verla porque necesitaba hablar con alguien.
"No había visto nunca un paisaje como este."	... dijo que no había visto nunca un paisaje como aquel.
"Cuando era estudiante salía mucho."	... dijo que cuando era estudiante salía mucho.
"Hoy saldré tarde del trabajo."	... dijo que (aquel día) saldría tarde del trabajo.

3. a) 1. "El artista debe ser mezcla de niño, hombre y mujer." (Ernesto Sábato, argentino)
2. "La literatura es mentir bien la verdad." (Juan Carlos Onetti, uruguayo)
3. "La ley es la conciencia de la humanidad." (Concepción Arenal, española)
4. "La memoria es el deseo satisfecho." (Carlos Fuentes, mexicano)
5. "El talento, en buena medida, es una cuestión de insistencia." (Francisco Umbral, español)

b) "El español que no ha estado en América no sabe qué es España." (Federico García Lorca, español)
Federico García Lorca dijo que el español que no había estado en América no sabía qué era España.

4. c) El sospechoso dijo que el chico joven tenía los ojos grises y que le había robado a la víctima un reloj de oro y una cartera con varios billetes de veinte euros. También dijo que él había visto todo desde un bar situado a un centenar de metros. A esa distancia no se podía distinguir el color de los ojos, ni de qué era el reloj ni qué llevaba la víctima en la cartera. El sospechoso lo sabía porque era el ladrón.

lección 8

5. 1. ¿Serías tan amable **de** decirle a Carmen que la ha llamado Federico para comentarle unas cosas?
2. Dígale, por favor, que me llame cuando **pueda**, que necesito hablar con él.
3. Ha llamado Nuria y ha comentado **que** el mes que viene se va de vacaciones a Cuba.
4. Adela quiere saber **si** el día 15 es fiesta o no.
5. Tu madre me ha preguntado que **cómo** vamos a ir a Salamanca: en tren o en autobús.
6. Te ha llamado José María: quiere **que** le confirmes la hora de la reunión del viernes.
7. Ha llamado Rita. Ha preguntado **si** vas a ir al concierto de Antonio Serrano.

6. Posibles respuestas:
1. Le ha preguntado (que) si trabajan los sábados.
2. Le ha preguntado (que) a qué hora cierran.
3. Le ha dicho/pedido que le envíe el informe por fax.
4. Le ha dicho que llegará sobre las ocho.
5. Le ha dicho/pedido que no le comente nada a Concha.
6. Le ha dicho/pedido que le diga a Laura que le llame esta tarde.

7. a) Posibles respuestas:
1. "¿Puedes decirle, por favor, que estoy en casa de Mercedes y que me llame en cuanto pueda?"
2. "¿(Sabes si) Va a ir (Elisa) al teatro el domingo? Dile, por favor, que me lo confirme cuando lo sepa."
3. "Dile, por favor, que no me llame esta noche porque volveré muy tarde."

b) Posibles respuestas:
1. Sara:
Te ha llamado Enrique. Que si ya has reservado mesa en el restaurante.
2. Paula:
Te ha llamado el señor Molinos. Que le envíes un correo electrónico cuando puedas.
3. Ángel:
Te ha llamado Rosa. Que la llames cuando vuelvas, que es urgente.

DESCUBRE ESPAÑA Y AMÉRICA LATINA

9. b) 1. Recursos naturales
2. Exportaciones-importaciones
3. Niveles de vida
4. Esperanza de vida
5. Educación
6. Comunicaciones
7. Gasto militar

repaso 2

1. 1 te caen, me caen
2 haga, podamos
3 acuéstese, procure
4 había dicho
5 se lleva, me llevo
6 de que
7 haría, hablaría, explicaría
8 tan, llame
9 te pareces, me parezco
10 te vaya
11 de, para
12 esperes
13 me ponen
14 sea, cumplan
15 se olvide
16 si, vernos
17 le dan, me daban
18 salga, iré
19 que, de
20 llamaría
21 me pongo, cuando/si
22 se trasladen
23 en, practique, lleve
24 si, cuándo
25 nos, en, en
26 venga, vea
27 me molesta, lo
28 sepa
29 lleves, puedas
30 haz, si, comas

lección 9

2. 1 - B
2 - A
3 - C

3. Posibles soluciones:
1. Me gusta Madrid a pesar de que es una ciudad muy caótica.
2. Madrid es muy alegre y muy acogedora.
3. Es ruidosa y sucia pero no le importa a nadie.
4. Es una ciudad agradable a pesar de que tiene muchos inconvenientes.
5. En las ciudades hay más trabajo pero hay más estrés.
6. Es una ciudad incómoda y además es peligrosa.
7. Tiene mucha contaminación a pesar de que tiene muchas zonas verdes.
8. Es muy caótica pero me encanta la gente.

4. 1. A: La vida en los pueblos es más aburrida.
B: Estoy de acuerdo con **lo** que dices.
C: Yo también estoy de acuerdo **contigo**.

2. A: La vida en un pueblo es muy dura.
B: Estoy totalmente de acuerdo con usted.
C: Yo también estoy de acuerdo con lo **que** dice.

3. No estoy de acuerdo con **que** Madrid sea una ciudad acogedora.

4. Estoy de acuerdo con lo **de** que Madrid es una ciudad alegre.

5. Posibles soluciones:
1. A: Una ciudad ofrece más posibilidades.
B: Sí, **estoy de** acuerdo.
C: Yo no **lo** veo así.

2. A: Es más fácil encontrar trabajo.
B: **Puede** ser.

3. A: Se gana más.
B: **Desde** luego.

4. A: Se trabaja menos.
B: Tienes **razón**.
C: ¡**Qué** va!

5. A: Hay más diversiones.
B: Sí, es **verdad**.
C: **Por** supuesto.

6. En una ciudad...
1. ... se vive mejor.
2. ... uno tiene más posibilidad de encontrar trabajo.
3. ... nunca te sientes solo.
4. ... se vive más libremente.
5. ... uno se comporta de manera diferente.

En un pueblo...
6. ... se vive más tranquilo.
7. ... se tiene más tiempo libre.
8. ... uno tiene más relación con la gente.
9. ... uno se siente más acompañado.
10. ... necesitas menos dinero.

7. Posibles soluciones:
1. Yo no creo que se viva mejor en una ciudad.
2. A mí no me parece que uno tenga más posibilidad de encontrar trabajo.
3. No pienso que nunca te sientas solo.
4. No me parece que se viva más libremente.
5. No creo que uno se comporte de manera diferente.
6. Yo no creo que se viva más tranquilo.
7. A mí no me parece que se tenga más tiempo libre.
8. No pienso que uno tenga más relación con la gente.
9. No me parece que uno se sienta más acompañado.
10. No creo que necesites menos dinero.

DESCUBRE ESPAÑA Y AMÉRICA LATINA

10. Santiago de Compostela.
Santiago de Compostela y Santiago de Chile.
Santiago de Cuba y Santiago de Chile.
Santiago de Chile.
Santiago de Compostela.

11. Posibles soluciones:
Siglo IX: Se descubrió la tumba del apóstol Santiago.
1504: Se fundó la universidad de Santiago de Compostela.
1514: Se fundó la ciudad de Santiago de Cuba.
1541: Se fundó la ciudad de Santiago de Chile.
1589: Santiago de Cuba fue capital de Cuba hasta esta fecha.
1898: Hubo una batalla naval en la bahía de Santiago de Cuba entre la flota española y la de los Estados Unidos.

lección 10

1.

```
          1. C H I S T E
 2. T U M B A R S E
    3. A V E R G O N Z A R
      4. R O N C A R
 5. A S U S T A
 6. T R A D U J I S T E I S
      7. R E Í A M O S
          8. D E L I T O
 9. B R O M E A R
```

3. a) Posibles emparejamientos:
1-C; 2-D; 3-E; 4-B; 5-F; 6-A.

b) Posibles frases:

1 El lunes quería grabar un documental de la televisión, pero no pudo porque se estropeó el vídeo.
2 El martes quería ir a un concierto de Tish Hinojosa, pero no pudo porque se agotaron las entradas.
3 El miércoles quería jugar al tenis con Rosa, pero no pudo porque la pista estaba ocupada.
4 El jueves quería felicitar a Paco por su cumpleaños, pero no pudo porque no consiguió hablar por teléfono con él.
5 El viernes quería ir a una conferencia de García Calvo, pero no pudo porque tuvo problemas en el trabajo y salió muy tarde.
6 El sábado quería ir a la piscina, pero no pudo porque el cielo estaba nublado y hacía frío.

4. a)
1 estuvo, fui
2 había/hubo, era/fue, bailé, pasé
3 iba
4 dijo, encontré, volvía/volví, contó
5 viniste, estuve
6 fue, había/hubo, duró
7 han salido
8 llegamos, había salido, eran
9 veía, alegraba, estaba, habló
10 ha sonado, estaba soñando

5. a) Posible texto:
Ayer, cuando **volví** a casa me **encontraba** muy cansada. Al llegar a la puerta, **introduje** la llave en la cerradura, pero no **conseguí** abrir. Lo **intenté** varias veces más; ya **creía** que la cerradura **estaba** rota y **estaba** empezando a ponerme nerviosa, cuando **oí** a mi vecino preguntar al otro lado de la puerta: "¿Quién es?" Entonces...

6. a) Posible texto:
Un día **iba** por la calle y **vi** un billete de cien euros en el suelo. Lo primero que se me **ocurrió** fue que lo **había perdido** alguien y, tras unos segundos de duda, 1 .... Me **agaché** y, cuando ya **tenía** la mano muy cerca de él, 2 .... "¡Qué raro!: si no hace nada de viento", pensé. Lo **intenté** otra vez y 3 ...., así que continué persiguiéndolo hasta que **oí** unas risas, **había** dos niñas tirando de un hilo atado al billete y **estaban** riéndose de mí.
Al descubrirlas me dijeron que **era** el día de los Santos Inocentes 4 ....

b) Posibles informaciones:
1 Decidí cogerlo.
2 Empezó a moverse.
3 Ocurrió lo mismo (o el billete volvió a moverse).
4 Y, cuando comprendí lo que había pasado, me eché a reír yo también.

DESCUBRE ESPAÑA Y AMÉRICA LATINA

9. b) Realizó, llegó, desembarcó/había desembarcado, era, llevaron, estaba, dio, escribió, introdujo, adjudicó, fue, convirtió, intentó.

c) Posibles respuestas:
1 No, italiano.
2 Colombia. Porque lo había descubierto Colón.
3 Porque estaban situados mucho más allá de lo que hasta entonces se consideraba el fin del mundo.
4 Tolomeo fue un geógrafo que hizo mapas de lo que consideraba que era el mundo habitado.
5 El cosmógrafo Martin Waldseemüller lo incluyó en un libro que escribió en 1507 (una introducción a las obras de Tolomeo).